HITLER

A ENCARNAÇÃO DO MAL

CLAUDIO BLANC

1ª Edição 2020

Presidente: Paulo Roberto Houch
MTB 0083982/SP

Editora: Priscilla Sipans
(redação@editoraonline.com.br)
Coordenador de Arte: Rubens Martim
Diagramadora: Evelin Cristine Ribeiro
Fotos: Wikicommons
Vendas: Tel.: (11) 3393-7723 (vendas@editoraonline.com.br)

Impresso no Brasil.
Foi feito o depósito legal.

Dados Internacionais de Catalogação na Publicação (CIP)
(eDOC BRASIL, Belo Horizonte/MG)

H675 Hitler: a encarnação do mal / [Equipe Camelot Editora]. – Barueri, SP: Camelot Editora, 2019.
16 x 24 cm

ISBN 978-65-80921-03-4

1. Alemanha – História – 1933-1945. 2. Hitler, Adolf, 1889-1945. 3. Nazismo.

CDD 943.086

Elaborado por Maurício Amormino Júnior – CRB6/2422

IBC – Instituto Brasileiro de Cultura LTDA
CNPJ 04.207.648/0001-94
Avenida Juruá, 762 – Alphaville Industrial
CEP. 06455-907 – Barueri/SP
www.revistaonline.com.br

SUMÁRIO

Brasão do Império Austro-Húngaro.

UM IMPÉRIO EM COLAPSO

Talvez não seja exagero dizer que as duas guerras mundiais que varreram a Europa no século passado começaram mais de cem anos antes. Na Europa, todo o século XIX foi marcado por conflitos que desenhavam a nova distribuição do poder. Movimentos políticos e sociais foram deflagrados pela revolução francesa e que, a rigor, só se estabilizariam, crise após crise, após a queda do Muro de Berlim. No começo do século passado, a tensão que se arrastava na Europa Central foi detonada pela decadência do Império Austríaco, que acabou por fazer explodir a Primeira Guerra Mundial, a pior conflagração que, até então, a humanidade já presenciara. E, em meio à decadência do Império Austríaco, foi gestado um personagem que levaria a Europa à guerra mais uma vez e que influenciaria uma das civilizações mais criativas que a humanidade já produziu – a germânica – a cometer atrocidades inimagináveis nem mesmo pelas sociedades mais primitivas. Esse homem, Adolf Hitler, nutria profundo descontentamento pela situação política do seu país – como muitos outros austríacos – e responsabilizava o imperador Francisco José, da Casa de Habsburgo, pelos problemas da Áustria.

Originária da Suíça, a dinastia Habsburgo estava no trono austríaco desde 1279, onde havia se mantido habilmente através de, principalmente, uniões matrimoniais com as famílias mais poderosas da Europa. No século XIX, os Habsburgo tinham feito da Áustria o segundo maior Estado europeu, menor apenas que a Rússia. A partir de 1848, porém, as coisas começaram a mudar. Nesse ano, no qual Karl Marx e Friedrich Engels publicaram o *Manifesto Comunista*, revoluções contra os regimes monárquicos se ergueram em todo o continente. O Império Austríaco também foi contagiado e afetado. Klemens Metternich (1773 – 1859), ministro das Relações Exteriores e depois chanceler dos Habsburgo, peça-chave na manutenção do equilíbrio do poder em toda a Europa e da supremacia austríaca na Itália, foi afastado. Repressor do liberalismo, viu-se obrigado a fugir para a Inglaterra enquanto o imperador continuou a combater os rebeldes até 1851.

Em 1856 e 1857, Francisco José e sua esposa Elizabete, apelidada Sissi, visitaram a Lombardia, Veneza e Hungria em "viagens de reconciliação", após o império ter conseguido abafar diversas revoluções na Península Italiana. A pedido de Sissi, Francisco concedeu uma ampla anistia aos nobres revoltosos. Isso fez com que ela se tornasse muito popular entre seus súditos. No ano seguinte, no entanto, a Áustria perdeu a Lombardia. Foi a primeira de uma sucessão de derrotas.

Em 1866, a Alemanha de Otto von Bismarck venceu a Áustria na Guerra das Sete Semanas, acabando com o domínio austríaco sobre a Confederação Germânica, uma aliança para defesa mútua entre 39 estados alemães, formada em 1815, depois do susto dado por Napoleão em toda Europa, possibilitando a fundação do Primeiro Reich. Entre as outras perdas dos Habsburgo, a sofisticada Veneza foi para a Itália. Em 1867, cedendo às pressões (e novamente influenciado pela esposa), Francisco José elevou a Hungria à condição de reino, criando o Império Austro-Húngaro. A decisão abalou o prestígio do imperador. Os súditos austríacos ficaram profundamente insatisfeitos.

Num império formado por diferentes povos – germânicos, eslavos, italianos, judeus e outros – os austríacos se sentiam superiores.

Agora, os húngaros haviam conquistado um status equivalente ao deles. Logo, os demais estados que formavam o império fariam o mesmo. O ressentimento se infiltrava nos austríacos médios, fermentando uma intolerância cada vez maior – principalmente contra os judeus e os eslavos.

Não obstante a decadência do Império, a corte austríaca preservava uma imagem diferente. O luxo e a riqueza da vida palaciana dos Habsburgo eram embalados, entre outras, pela valsa *O Danúbio Azul* de Johann Strauss II. Elizabete da Áustria (1837 – 1898), ou Sissi, a "imperatriz do povo", vivia sua lenda de linda princesa perseguida pela rainha má, no caso a arquiduquesa Sofia. A mãe do imperador tentava controlar o filho, mas tinha na imperatriz um obstáculo, já que Elizabete trazia o marido na palma da mão. Anoréxica, excêntrica, fanática por esportes – tinha uma sala de ginástica em seus aposentos, num tempo em que só os homens se exercitavam –, Sissi não era bem-vista pela nobreza. Mas as fofocas do palácio apenas desviavam a atenção do povo dos movimentos políticos, que escreviam a nova ordem social e política da Europa. Enquanto Francisco José se desdobrava para manter a importante posição da Áustria, a pompa da corte, os belos edifícios de Viena, a valsa e o brilho popular de Sissi iluminavam a fachada de um império que ruía diante das movimentações que abalavam a Europa Central.

Mas a Áustria-Hungria não tinha apenas problemas internos. No âmbito internacional, as coisas também não iam bem. Nos primeiros anos do século XX, uma acirrada disputa por questões territoriais entre o Império Austro-Húngaro e a Rússia acabou se tornando tão ácida que veio a envolver a Alemanha, a França, a Grã-Bretanha e o Império Otomano, arrastando o mundo para uma guerra mundial.

Foi nesse ambiente em que as questões políticas inflamavam o ar, alimentadas pelo combustível do preconceito racial, que Adolf Hitler foi criado.

Adolf Hitler numa rara foto escolar.

ADOLF

Um homem intransigente que se julga predestinado. Um império decadente. Um país em colapso. Esses elementos seriam inflamáveis o bastante para incendiar o mundo? No caso de Adolf Hitler, a resposta é sim. A pergunta que sempre paira sobre os personagens históricos cabe como uma luva para Hitler: é a História que faz o líder? Ou, inversamente, é o líder que faz a História? Na verdade, a História corrobora para o surgimento de um líder que, por sua vez, acaba por moldá-la. Ele sempre reflete as vicissitudes do momento. Incorpora os anseios das pessoas do seu tempo e lugar. Assume a voz das multidões e as conduz pelas trilhas dos fatos. Se não tivesse existido um Hitler, será que a Alemanha, humilhada após a Primeira Guerra, se levantaria contra o resto da Europa? Provavelmente, sim. Mas o conflito talvez tivesse um rosto diferente. Se seria menos brutal, menos fanático, nunca saberemos. Afinal, o povo alemão estava ao lado de Hitler, e o Führer nada mais fez do que dar voz às muitas tendências, crenças e pensamentos que grassavam na Alemanha depois da Primeira Guerra. Hitler é mais uma criação da História do que uma invenção de si mesmo. Ele refletiu como ninguém o desejo do povo de um país rico e glorioso atolado numa situação de humilhação e menos-valia. Como o próprio Winston Churchill, provavelmente o mais implacável inimigo de Adolf Hitler, afirmou, foi a "insensatez dos vencedores" da Primeira Guerra que causou a sede de vingança e de justiça de todo o povo alemão.

E para comandá-lo, ninguém melhor que um fanático cheio de vingança, um louco repleto de som e de fúria capaz de lançar mão dos mais impensáveis meios para levar seu povo à sonhada vitória. Mas o sonho de Hitler acabou se transformando no pesadelo da Alemanha – e do mundo.

Mãe Protetora, Pai Rígido

Adolf Hitler nasceu no pequeno povoado austríaco de Braunau am Inn, na fronteira com a Alemanha, em 20 de abril de 1889. Nessa época, o Império Austro-Húngaro se esfacelava, e Adolf cresceria vendo a glória do seu país ruir diante dos seus olhos.

Ele foi o sexto filho de Klara e de Alois Hitler, mas o terceiro vivo, uma vez que três dos irmãos de Adolf tinham morrido antes de completar dois anos. Alois, o pai, era um funcionário da alfândega. Fumante inveterado, estava sempre ausente. Mesmo assim, talvez para afirmar sua autoridade, era extremamente severo com os filhos, especialmente com o pequeno Adolf. Mas a atenção especial ao filho era manifestada na forma de tremendas surras. Para compensar, Klara, traumatizada pela perda dos três filhos anteriores, mimava seu caçula como se ele fosse a última criança do mundo. Dessa forma, a infância de Hitler se alternou entre as surras dadas pelo pai por conta dos motivos mais ínfimos e as adulações mais desmedidas da mãe.

Esse tratamento ganhou uma dimensão extrema quando Hitler tinha 13 anos. A morte do seu irmão Edmond, o único menino além de Hitler, caiu como um raio sobre a família. Era o quarto filho que a arrasada Klara perdia. A tristeza da mulher buscou consolo em Adolf, muito mais do que na outra filha sobrevivente, Paula. E se antes Klara já exagerava na licenciosidade que concedia ao caçula, agora, mais do que nunca, ele podia tudo. A mesma coisa aconteceu com Alois, mas conforme sua versão pessoal. Embora tivesse mais dois filhos do casamento anterior, Alois e Ângela, Adolf era o último herdeiro homem da sua união com Klara. Com a intenção de fazer com que o pequeno atendesse suas expectativas, Alois também dedicou mais atenção a Adolf. Só que no seu caso isso significava aumentar a dose de rigor – com suas consequentes surras.

É claro que esse tratamento ambíguo acabou gerando sequelas no caráter de Adolf. Ele chegou à adolescência desconfiando das pessoas ao seu redor, com poucos amigos, afundado em fantasias, afastado da realidade, extremamente frio, dado a ataques de fúria e inquebrantavelmente convicto de suas ações.

A família se mudou para Linz, lugar considerado pelo futuro Führer como sua verdadeira cidade natal, mas a relação de Adolf com Alois continuava péssima. O jovem tinha inclinações artísticas, mas seu pai o matriculou num colégio orientado para a formação técnica, o *Realschule*. E já ali, Adolf começou a dar mostras da personalidade que abriria tantas feridas entre os povos europeus. Contrariado com a decisão de Alois, Adolf não frequentava as aulas e, quando o fazia, respondia aos professores, dizendo que eles não tinham nada útil para ensinar a ele. Sua relação com os colegas não era melhor. Acreditando numa suposta superioridade perante os outros, desdenhava os outros alunos.

Na sua monumental biografia, *Hitler*, Sir Ian Kershaw cita uma descrição do menino Adolf feita nessa época por um professor do futuro idealizador do nazismo, Eduard Huemer: "era um garoto magro e pálido que não fazia pleno uso de seu talento, que carecia de atenção e que era incapaz de se adaptar à disciplina escolar". Huemer não para por aí. Segundo ele, o jovem Hitler era "obstinado, prepotente, dogmático e fervoroso", que recebia as críticas dos professores "com uma insolência mal dissimulada".

Uma fotografia dessa época confirma as palavras do professor. Entre os quarenta e sete meninos que aparecem na foto cercando o mestre, Adolf está na posição central da fileira mais elevada – destacando-se mais que todos. Como se isso ainda não fosse o bastante para enfatizar por si só sua posição de líder, a arrogância na expressão do rapaz esmaga qualquer margem de dúvida. Essa fotografia não apenas é um registro do espírito de liderança inabalável de Hitler já nessa época, mas acaba adquirindo ares proféticos. É, de fato, o rosto de um menino que, quando adulto, seria capaz de abrir à força o seu caminho.

O impasse com o pai, que já chegara ao ódio, acabou se resolvendo com a morte de Alois, em 1903. Longe de lamentar a perda, Adolf a considerou um ganho. Em 1905, aos 16 anos, abandonou os estudos técnicos. Para manipular a mãe, fingiu-se de doente durante uma longa temporada, conseguindo com isso sair da escola. O passo seguinte era convencer Klara a incentivar sua vocação artística.

Sonho Frustrado

Adolf queria entrar na Academia de Belas Artes de Viena. A mãe cedeu de imediato, mas ele tirou dois anos de "férias" antes de prestar os exames. Foi uma época de sonhos com a glória artística que esperava por ele no futuro. Hitler foi, realmente, algumas vezes para Viena, mas para explorar a cidade. Nessas ocasiões ele visitou museus, frequentou teatros e, principalmente, descobriu a ópera. Foi quando se identificou tremendamente com a obra de Richard Wagner, cheia de ecos dos valores e das crenças germânicas. Foi aqui, também, que Adolf começou a tecer suas convicções políticas. Ele não defendia a continuidade do Império Austríaco – aquela colcha de retalhos étnica da qual os germânicos eram somente uma parte. Ao contrário, apoiava apaixonadamente o nacionalismo pangermanista de Ritter von Schönerer. Esse teórico – que contribuiu sobremaneira para a disseminação do antissemitismo que marcou a política centro-europeia até o final da Segunda Guerra – opunha-se ao Estado austríaco e era a favor da união dos povos de origem germânica. Schönerer defendia a fusão da Áustria à Alemanha – exatamente o que Hitler fez em 12 de março de 1938. Schönerer também influenciou o futuro Führer além do âmbito das ideias.

Político respeitado em Viena, seus partidários o saudavam com o braço levantado e o chamavam de Führer, isto é, "líder".

Finalmente, em 1907, Adolf resolveu prestar o exame de admissão à Academia de Belas Artes de Viena. Como de costume, Klara, que estava doente, não se opôs. Ao contrário, deu dinheiro ao filho. Sem ter se preparado de forma alguma para a prova, Adolf se apresentou para fazer o exame, munido apenas do seu pedantismo e da sua arrogância. Tinha certeza de que passaria. A reprovação não era uma possibilidade. Mas foi o que aconteceu. Adolf ficou devastado. Estava certo, porém, de que o fracasso não era seu e sim culpa dos examinadores (entre os quais havia alguns judeus), incapazes de reconhecer seu talento.

Para piorar ainda mais as coisas, a doença de Klara tinha se agravado. E muito. Duplamente frustrado, Adolf voltou de Viena e se pôs ao lado da mãe, cuidando dela com uma dedicação verdadeiramente filial. Ela era a única criatura a quem o frio Adolf dedicava afeto, a única a quem amava. Na sua biografia, Sir Ian Kershaw afirma que "tanto a irmã Paula como o doutor Bloch (o médico que tratou de Klara) testemunharam a entrega (de Hitler) devotada e infatigável ao cuidado de sua mãe agonizante". A dedicação de Adolf não evitou, porém, a morte de Klara, no final de 1907. Foi outro golpe profundo no jovem. O médico, Bloch, registrou "nunca ter visto ninguém tão prostrado pela dor quanto Adolf Hitler".

Fundo do Poço

O mundo de Adolf tinha desmoronado. Para tentar reconstruí-lo, em 1908, ele tentou mais uma vez entrar para a Academia de Belas Artes de Viena. Mais uma vez, foi reprovado. Essa terceira frustração em tão pouco tempo acabou fazendo com que Adolf se isolasse cada vez mais. Ele decidiu permanecer em Viena, subsistindo com uma magérrima pensão para órfãos concedida pelo Estado e mais um pouco de dinheiro que uma tia havia lhe dado. Adolf quase não trabalhava. Vez ou outra fazia bicos e ganhava algum dinheiro pintando paredes.

Um companheiro seu de Linz, um estudante de música chamado August Kubizek que conviveu com Hitler nesse período, o descreve como um jovem "dedicado ao ócio, preocupado apenas com as reformas sociais dos bairros pobres, idealizando alternativas políticas que amenizassem a precária situação em que o país se encontrava". Segundo Kubizek, Hitler lia muito nessa época e ia quase todo dia à ópera, assistir ao seu autor favorito, Richard Wagner. Mas não estava bem: "cada vez mais perdido, cada vez mais enraivecido com o mundo", afirma seu conterrâneo.

Esse tempo que Adolf Hitler subsistiu em Viena, vivendo, entre 1909 e 1913, numa condição próxima da indigência, foi fundamental para a consolidação do conceito do nazismo. Na capital do Império Austro-Húngaro, uma cidade multirracial, cuja população de judeus chegava a 10%, e onde a uma opulenta aristocracia convivia com os mais esquálidos mendigos, Hitler começou a misturar a argamassa da sua ideologia e a nutrir o antissemitismo que tanto marcou seu reino, isto é, "*reich*", de terror.

O antissemitismo era uma atitude cultivada e disseminada na Europa Central. O próprio prefeito de Viena, Karl Lueger, um político que Hitler idolatrava e de quem buscou copiar a eloquência nos discursos, declarava publicamente seu ódio pelos judeus, incentivando seus seguidores a fazerem o mesmo. Numa das suas prelações, Lueger afirmou que "faria um serviço ao mundo, colocando os judeus em um grande barco e afundando-o em alto-mar". De fato, os judeus, que nunca se integraram realmente ao país para onde imigraram – qualquer que fosse este –, permanecendo fiéis aos seus costumes e à sua fechada comunidade e com fama de tramar para controlar o mundo, eram vistos como os culpados pela crise do trôpego império Habsburgo.

Em 1913, o dinheiro da herança de Klara foi liberado para Hitler, que aproveitou a chance para se mudar para Munique. Na verdade, ele foi para a Alemanha para fugir do serviço militar austríaco. Ele não se dignaria a servir sob os Habsburgo que tanto o desagradavam. O dinheiro da herança era pouco, e Hitler teve de usá-lo com parcimônia para não cair na condição de indigência dos anos anteriores.

A capital da Baviera era, na época, uma cidade que pulsava arte e cultura, cheia de artistas vindos de várias partes da Europa para ali expressar seu talento. Hitler passava os dias nos cafés e nas cervejarias da cidade, lendo jornais que confirmavam suas posições extremistas. E assim ele passou o ano de 1913 e a maior parte de 1914: vagabundeando de café em bar, esmagado pelo peso do fracasso dos seus sonhos artísticos e pelo medo de ser encontrado pelas autoridades de seu país e obrigado a servir no exército do odiado imperador.

Isso, porém, veio finalmente a mudar no início de agosto de 1914, quando a Alemanha declarou guerra à Rússia e à França. O conflito causaria uma guinada inesperada daquele quase indigente, desertor do exército austríaco. Estava para começar o período que Hitler descreveu na autobiografia *Mein Kampf* (Minha Luta) como "o mais excelente e inesquecível de toda minha, como a de todo alemão, existência terrena".

O cabo Hitler, durante a Primeira Guerra.

A PRIMEIRA GUERRA MUNDIAL

No ano de 1914, uma época em que o nacionalismo exacerbado era o leme que guiava as ações políticas em todo o continente europeu e, principalmente, no Império Austro-Húngaro (uma frágil união de regiões de etnias e culturas distintas), a crise na Europa Central explodiu. A ameaça de fragmentação do Império fez com que o arquiduque da Áustria Francisco Ferdinando, sobrinho do imperador austro-húngaro e herdeiro do trono, fosse a Sarajevo, capital da Bósnia-Herzegovina, tentar acalmar os ânimos dos súditos que exigiam emancipação.

A Sérvia, independente desde o início do século XIX, se esforçava para unificar os territórios ao longo de sua fronteira: Macedônia, Montenegro e Bósnia-Herzegovina. Nessa tentativa, confrontou os interesses do poderoso Império Austro-Húngaro, cuja política expansionista, o "Drang nach Osten" (o "Impulso Rumo ao Leste"), visava chegar até o porto de Salonica, na Grécia. Francisco Ferdinando buscava uma via diplomática para resolver o conflito. Fez visitas, promessas e acabou assassinado por Gavrilo Princip, um radical sérvio, em 28 de junho de 1914. O imperador Francisco José, na época com 84 anos, fez duras exigências à Sérvia, que as recusou ostensivamente.

A Rússia, uma tradicional rival da Áustria, temia que o Império Otomano – o poderoso califado turco que controlava todo o mundo islâmico – anexasse a parte muçulmana dos Bálcãs, e apoiou a Bósnia-Herzegovina. Essa era a chance que a Alemanha esperava para resolver suas rivalidades territoriais e econômicas com a França, Grã-Bretanha e Rússia. Aliou-se à Turquia e ofereceu apoio à Áustria. Esta aceitou e juntos formaram a Liga dos Poderes Centrais. Assim, motivado pelo suporte recebido e para evitar uma guerra civil que fragmentaria o país, no final de julho de 1914, o Império Austro-Húngaro declarou guerra à Sérvia. As outras potências europeias se lançaram no conflito, e logo todo o continente virou palco de operações militares.

Na Frente Oeste, os alemães avançaram sobre a Bélgica e Paris em direção ao canal da Mancha. No Leste, os Poderes Centrais foram igualmente bem-sucedidos. Nos primeiros meses da guerra, os alemães derrotaram os russos em Tannenberg e nos Lagos Masurianos. No entanto, depois das primeiras batalhas de Ypres, Bélgica, na Frente Ocidental, o exército do imperador alemão, o kaiser Guilherme II (1888 – 1918), ficou impedido de avançar, e os aliados não conseguiam fazê-lo recuar.

Começou, então, a guerra de trincheiras: estacionária, lamacenta, cheia de batalhas de baioneta e de uso de gás venenoso, onde doenças como o tifo e o tétano matavam mais do que as balas e as bombas. Era uma guerra sanguinária, lutada por soldados que acabaram se tornando românticos no ideário e no imaginário da guerra. Guerreiros como o ás alemão Barão Vermelho, Manfred von Richthofen (1892 – 1918), que, depois de derrubar quarenta aviões inimigos com seu biplano nos céus da França, foi abatido e enterrado com honras de herói pelos ingleses que o derrotaram; ou como os soldados que participaram de um conhecido episódio da luta nas trincheiras, onde, no natal de 1914, tropas inimigas, alemãs, francesas e britânicas ali estacionadas, de tanta convivência, vigiando uma à outra, resolveram estabelecer um cessar-fogo e se confraternizaram, celebrando o Natal e decidindo suas diferenças políticas e ideológicas numa amigável partida de futebol.

O ano de 1915 trouxe boas novas para a Áustria-Hungria. A Sérvia, até então imbatível, e Montenegro caíram no final do ano e os aliados falharam ao tentar tirar a Turquia da guerra, na ousada Campanha de Galípoli. A Sérvia e Montenegro caíram no final de 1915 e só as campanhas na Itália, na frente Sul, não se concluíam, estacionando um grande contingente de tropas austríacas.

Apesar disso, 1916 foi um ano difícil para a Liga dos Poderes Centrais. O conflito exigiu recursos que a Áustria não conseguia gerar eficientemente. O país não era industrializado; baseava a economia na extensão de seu território, recebendo bens e valores dos muitos reinos que formavam o império. As campanhas eram inconclusivas, principalmente na frente sul.

Em 1917, as coisas começaram finalmente a pender a favor dos aliados. No Oriente Médio, o arqueólogo britânico, agora coronel, Thomas Edward Lawrence, o Lawrence da Arábia, incitou, com sucesso, a revolta árabe contra os turcos, seus senhores. No mesmo ano, os Estados Unidos entraram na guerra, devido aos ataques irrestritos dos submarinos alemães à sua frota, e enviaram uma força expedicionária, que desembarcou na França, comandada pelo general Pershing, responsável por dois milhões de homens.

No decorrer do ano seguinte, a Liga dos Poderes Centrais não conseguiu resistir ao avanço dos aliados. Damasco caiu nas mãos dos beduínos de Lawrence da Arábia e, na Europa, a França foi libertada. Em 11 de novembro de 1918, a Alemanha assinou o armistício. A Liga dos Poderes Centrais perdia a guerra.

O Império Austro-Húngaro foi esfacelado pelo tratado de Saint-Germain, que reduziu a Áustria aos seus territórios germânicos, entregando o Trentino e a Ístria, à Itália. Ao reino dos Sérvios, Croatas e Eslovenos, que depois se chamou de Iugoslávia, cedeu a Eslovênia, a Dalmácia, a Croácia e a Bósnia-Herzegovina. À custa de seus domínios tchecos, surgiu um novo Estado: a Tchecoslováquia. De um dos maiores Estados europeus em extensão, a Áustria ficou reduzida a um território de apenas 83.850 km². À Hungria foi imposto o Tratado de Trianon, o qual a obrigava a ceder a Croácia, a Eslováquia e a Rutênia à Tchecoslováquia, e a Transilvânia à Romênia, fazendo com que o país fosse reduzido a um terço do seu território de 1914. A moral em todo o antigo império estava baixa. Anos de luta e de sacrifícios não impediram o inevitável: a fragmentação da enorme colcha de retalhos étnicos, linguísticos, culturais e religiosos, que uma vez tinha constituído o império dos Habsburgo. Quanto à Alemanha, o resultado da guerra não foi menos catastrófico. Mas diferentemente da Áustria, a Alemanha não abaixaria a cabeça. Não com alguém como Adolf Hitler a instigar nos alemães a sede de vingança por toda humilhação que eles sofreram com a derrota e com as imposições do Tratado de Versalhes.

O Cabo Hitler

Quando a Alemanha declarou guerra à Rússia, em 1º de agosto de 1914, e à França, dois dias depois, fazendo com que a Grã-Bretanha entrasse no conflito contra ela, o povo alemão se rejubilou. Era a chance que o país tinha de resolver questões pendentes com essas nações e de ocupar o lugar no mundo que julgava ser seu. Adolf Hitler, que havia desertado do exército austríaco e fugira para Munique, também foi contagiado pelos acontecimentos. E se ele se recusou a responder à convocação do exército Habsburgo, não titubeou em se alistar nas forças do país que adotara. Imediatamente após o início do conflito, em 8 de agosto, como o próprio Hitler conta no seu livro *Mein Kampf*, ele dirigiu "à sua majestade uma petição, solicitando consentimento para que servisse em um regimento bávaro". A resposta foi imediata. Segundo Hitler, "o gabinete ministerial tinha, naquela época, muitos assuntos com que se ocupar, de modo que meu júbilo foi ainda maior, pois a solicitação foi despachada favoravelmente no mesmo dia".

Hitler ficou mesmo muito satisfeito com a declaração de guerra e mais ainda com sua participação nela ao lado dos alemães. Ele mudou da noite para o dia. A apatia e o ócio dos anos anteriores deram lugar a uma dedicação fanática, dificilmente rivalizada por seus companheiros. Depois de ter seus sonhos despedaçados, de ter enfrentado a indigência e a inconstância das circunstâncias, Hitler encontrou no exército do seu país de adoção a dignidade, a camaradagem, o sentimento de unidade e a possibilidade de participação que sempre desejou.

O jovem austríaco, então com 25 anos, serviu no conflito como mensageiro. Anos depois, ele foi ridicularizado por seus inimigos por conta desse posto nada glorioso. No entanto, era uma posição que enfrentava um perigo demasiado. Os mensageiros, numa época em que a tecnologia de comunicação ainda era primitiva, levavam as ordens de um lado a outro do front. Por conta disso, eram alvos potenciais. As maiores baixas recaíam sobre o pelotão de mensageiros. E Hitler foi abnegado no cumprimento do dever.

Como fazia com tudo aquilo em que acreditava verdadeiramente, dedicou-se de corpo e alma à tarefa. Pela primeira vez na vida, Hitler se sentiu completamente realizado e reconhecido. Por duas vezes, ele foi condecorado com a Cruz de Ferro. A primeira, uma cruz de ferro de segunda classe, por colocar sua vida em perigo para proteger um comandante em meio ao fogo inimigo. A segunda condecoração foi uma Cruz de Ferro de primeira classe – uma das medalhas mais difíceis de um soldado alemão obter, símbolo de grande abnegação e sacrifício em defesa da pátria –, concedida quando Hitler levou uma mensagem vital a um posto extremamente distante do ponto de partida sob intenso fogo de artilharia.

Hitler foi, indiscutivelmente, um soldado exemplar. Durante os quatro anos de conflito, teve apenas 90 dias de licença. No entanto, ao mesmo tempo em que ele gozava da simpatia e da admiração dos seus superiores por causa do seu incrível senso de dever, o mesmo não acontecia com o resto da soldadesca. Hitler foi definido por seus companheiros de armas como extravagante, sem senso de humor, com pouca paciência com relação às brincadeiras de caserna e solitário. O cabo austríaco não mantinha qualquer contato com familiares ou amigos. De fato, Hitler não recebeu nem enviou correspondência durante toda a guerra. Seus companheiros durante esse período também enfatizaram sua propensão a fazer inflamados discursos sobre a impossibilidade da derrota e a necessidade daquilo que chamava de "ética patriótica".

A inevitável derrota, porém, acabou com os sonhos de guerra do cabo mensageiro. Ela veio, primeiro, em nível pessoal e, em seguida, em âmbito nacional. Num ataque britânico com gás tóxico, ocorrido entre 13 e 14 de outubro de 1918, Hitler sofreu de cegueira temporária e foi enviado ao hospital em Pasewalk. Pouco tempo depois, em 10 de novembro, quando ainda se encontrava internado, recebeu a notícia de que a Alemanha havia perdido a guerra, e que o kaiser Guilherme II abdicara. Seu amado país adotivo era agora uma república. Hitler registrou sua decepção no *Mein Kampf*. "Tudo havia sido em vão", concluiu, decepcionado. "Os sacrifícios e os trabalhos; em vão o sacrifício, a fome e a sede sofridas pelo espaço de intermináveis meses; em vão as horas consagradas ao dever, sobressaltados pelo temor da morte; em vão o sacrifício da vida de dois milhões de alemães".

E foi nesse hospital em Pasewalk que o cabo Hitler, tentando achar uma resposta que justificasse a derrota, teve uma "iluminação". Mais do que qualquer outra coisa, Hitler buscava achar os culpados pelo fracasso. E após certa reflexão, decidiu que os responsáveis pela perda da guerra tinham sido os judeus e os comunistas. "O kaiser

Guilherme foi o primeiro imperador alemão que ofereceu sua mão e amizade aos líderes do marxismo, sem pensar que os trapaceiros carecem de honra e sem perceber que, enquanto apertavam com uma mão a destra imperial, com a outra acariciavam o punhal", registrou ele. Sobre os judeus, o cabo concluiu que com eles "não se pode chegar a nenhum acordo" e que "tratando-se de sujeitos de semelhante ralé, só serve o inflexível 'ou isso ou aquilo'".

Esses pensamentos conduziram Hitler a uma outra fase na sua vida, a uma saída pessoal que implicaria num profundo envolvimento com o país que adotara. Como o próprio futuro líder da Alemanha confessou anos depois, foi durante sua internação em Pasewalk que ele decidiu se tornar político.

Soldados alemães retornam ao seu país depois do fim da Primeira Guerra.

A ALEMANHA APÓS A PRIMEIRA GUERRA

O primeiro livro, *Os Marcos do Desastre*, da grandiosa obra em 6 volumes *Memórias da Segunda Guerra Mundial* (publicado no Brasil pela editora Nova Fronteira), de Winston S. Churchill, narra os acontecimentos na Alemanha e a ascensão do nazismo sob o ponto de vista dos britânicos. Logo na abertura do livro, Churchill conta que, respondendo ao presidente Roosevelt sobre como este deveria se referir à Segunda Guerra, o premiê britânico respondeu de pronto: "a guerra desnecessária". E explica. "Nunca houve uma guerra mais fácil de se impedir do que essa que acaba de destroçar o que havia restado do mundo após o conflito anterior". Churchill estava realmente convicto disso. No primeiro capítulo da sua obra, apropriadamente intitulado *A Insensatez dos Vencedores*, ele relata, condoído, a situação da Alemanha após a Primeira Guerra e demonstra como as condições que os vencedores impuseram ao país levaram a um novo embate militar. A tamanha humilhação pela qual a Alemanha passava ufanou os brios do seu povo, a ponto de os alemães apoiarem uma figura como Adolf Hitler, que prometia com tanta convicção liderar o país rumo à conquista do seu verdadeiro espaço no mundo.

A Alemanha saiu da Primeira Guerra "derrotada, desarmada e faminta". O país líder da agressão era considerado por todos como a causa primordial da catástrofe que a Europa enfrentara. Só a França havia perdido 1,5 milhão de soldados para se defender. E os problemas entre a França e a Alemanha eram históricos. Em cerca de cem anos, os franceses foram atacados e quase invadidos pelos prussianos cinco vezes – em 1814, 1815, 1870, 1914 e 1918. Além disso, a população da Alemanha era quase três vezes maior que a da França, o que possibilitaria uma possível tentativa futura de dominação. Assim, os temerosos franceses valeram-se da sua participação no Tratado de Versalhes para evitar a esperada futura invasão, espremendo o inimigo ao máximo.

À França, uniram-se a Grã-Bretanha e os Estados Unidos, e, juntos, impuseram aos vencidos um fardo aviltante. A Alemanha perdeu o direito de convocar seus cidadãos para o serviço militar obrigatório – e assim formar uma força-reserva – e de ter armamentos pesados. Sua frota naval foi afundada, o exército desmantelado e o quadro de oficiais foi dissolvido. A força aérea militar tinha sido proibida, assim como a construção de submarinos. O país podia ter apenas um exército profissional de cem mil homens para manter a ordem interna.

Em termos políticos, a situação não era menos vexatória. Os americanos, antipatizando naturalmente com a monarquia, influenciaram a deposição do Kaiser e a fundação de uma república em Weimar. Mas a República de Weimar, "com todos os seus adornos e bênçãos liberais" – conforme Churchill colocou –, era vista pelos alemães como uma imposição do inimigo – algo que ofendia o brio germânico. "Para muitos patriotas alemães, a república (de Weimar) era uma afronta desde o início, uma vez que só existia porque a Alemanha fora derrotada", colocou o historiador J. M. Roberts. O arranjo político não tinha como preservar a fidelidade ou o imaginário do povo alemão.

Para completar o caos vivido pelos alemães depois da Primeira Guerra, a situação econômica se tornou insustentável. Com a desorganização política e financeira do país, bem como pela necessidade de pagar compensações de guerra entre 1919 e 1923, o que levou a uma enorme impressão de papel-moeda, o marco – a moeda nacional da Alemanha – entrou em colapso. Nos estágios finais da inflação, uma libra esterlina correspondia a 47 trilhões de marcos. As consequências sociais, econômicas e políticas dessa inflação foram extensas, marcando profundamente a década de 1920. Com seis milhões de desempregados, a poupança da classe média foi devastada. Isso criou uma legião de seguidores naturais do nacional-socialismo – a doutrina política que começava a se esboçar como solução para a catástrofe que assolava o país. Todo o capital de giro desapareceu da Alemanha, o que levou à contratação de empréstimos em larga escala. "O sofrimento e a amargura alemãs marchavam juntos", descreveu Churchill.

Nesse quadro desesperante, no qual os valores mais intrínsecos dos alemães haviam sido esmagados, abriu-se um espaço, logo ocupado, nas palavras do premiê britânico durante o conflito, por "um maníaco de índole feroz, repositório e expressão dos mais virulentos ódios que jamais corroeram o coração humano – o cabo Hitler".

Benito Mussolini e Adolf Hitler, em Roma (junho de1940).

MUSSOLINI E O FASCISMO

Benito Mussolini, o ditador da Itália entre 1925 e 1943, foi o inventor de um regime que viria a inspirar o nazismo e incendiar a Europa na pior guerra que assolou o continente. Influenciou Hitler, que confessou sua admiração pelo ditador italiano, e foi, ao mesmo tempo, influenciado por Hitler, entrando na Segunda Guerra Mundial e mergulhando seu país numa grande crise. Os italianos, porém, não esqueceram o responsável pelo desastre.

Benito Amilcare Andrea Mussolini nasceu em 29 de julho de 1883, em Predappio, no norte da Itália. Filho de um ferreiro e vivendo numa aldeia sem perspectivas futuras, Benito emigrou para a Suíça em 1902. Nesse país, o jovem teve contato com movimentos socialistas. Quando voltou para a Itália, dois anos depois, começou a atuar como jornalista na imprensa socialista, destacando-se aos olhos das autoridades por conta das suas investidas contra o clero.

Em setembro de 1915, foi convocado pelo exército italiano. Durante a Primeira Guerra, Mussolini foi um soldado exemplar, embora não tenha se destacado pelo heroísmo. Muitos acreditam que ele não foi promovido durante sua passagem pelo exército apenas por causa dos cáusticos textos revolucionários que publicara como jornalista antes do conflito. Mas sua carreira militar foi breve, interrompida pela explosão de um morteiro na trincheira onde lutava. Ferido, foi internado em um hospital e deu baixa em agosto de 1917.

Apesar de voltar a escrever e a editar jornais socialistas, depois da guerra, Mussolini se afastou dessa orientação política. Em 1918 ele já anunciava a necessidade de um líder "forte e enérgico o bastante para fazer uma limpeza" na Itália. Em alguns discursos que pronunciou naquele ano, o jornalista dava a entender que ele era esse homem capaz de devolver a ordem ao país. E para dar ação às palavras, em março de 1919, Mussolini fundou o Partido Fascista, o qual contou desde o início com o apoio de veteranos de guerra desempregados.

O futuro ditador organizou seus correligionários em esquadrões armados, logo apelidados de "camisas negras" por conta de seu uniforme. A estratégia política era tão simples como brutal: intimidar os adversários pela força. Socialistas, anarquistas e comunistas eram aterrorizados sem a menor interferência do governo. A truculência surtiu efeito, e o Partido Fascista Nacional, com Mussolini à sua testa, conquistou terreno. Em 1921, o líder do partido – e mais 35 correligionários – foi eleito para a Câmara dos Deputados pela primeira vez.

O ano seguinte foi conturbado para o país. Dividida entre as diversas e divergentes orientações políticas, por volta de outubro, a Itália parecia prestes a mergulhar no caos que assombrava toda a península. Numa demonstração de força e disciplina, os Camisas Negras marcharam pelas ruas de Roma. Mussolini se apresentou como o único homem capaz de restaurar a ordem. O rei Victor Emanuel negou seu apoio ao então primeiro-ministro Luigi Facta e empossou Mussolini no cargo. O líder fascista tinha o apoio dos militares, da burguesia e da direita liberal.

Como primeiro-ministro, Mussolini manobrou em causa própria. Usando a característica arma da intimidação, o ditador desmontou gradualmente as instituições que garantiam a democracia. Em 1925, diante dos protestos que a oposição fazia à violência dos Camisas Negras, Mussolini aproveitou a desordem e se declarou ditador com poderes absolutos, adotando o título de Il Duce, ou "O Condutor". A milícia do Duce garantiu a ditadura à força, atacando e espancando qualquer um que ousasse se opor a ela. O regime que Il Duce impôs à Itália se caracterizou pelo forte controle do Estado sobre todos os aspectos da vida do país e pelo culto à personalidade do ditador. Sem ter um programa definido, o fascismo acabou evoluindo num sistema político que combinava o totalitarismo, o nacionalismo, o anticomunismo, o anticapitalismo e o antiliberalismo, dando forma a um Estado que procurava unir todas as classes através de um sistema corporativista, batizado de Terceira Via. Nesse sistema, o Estado assumia controle de áreas-chave da economia e da produção industrial. Em 1935, segundo declaração do próprio ditador, três quartos de todas as empresas italianas pertenciam ao Estado.

Mussolini era uma espécie de ditador-biônico, daqueles que assumem vários ministérios simultaneamente. Em certas ocasiões, o Duce chefiava até oito pastas ao mesmo tempo, além de encabeçar a polícia secreta fascista, a OVRA, que criou assim que chegou ao poder. Mestre da propaganda política, Mussolini não hesitou em lançar mão de seu treinamento como jornalista para convencer os italianos – e o mundo – de que o fascismo era a doutrina definitiva, destinada a suplantar o liberalismo e a democracia como forma mais evoluída de governo. Jornais, rádios, filmes e mudanças nos programas educacionais eram usados para ufanar Il Duce.

A política internacional de Mussolini buscava projetar a Itália como potência tanto no cenário europeu como no mundial. Para tanto, escolheu a via do imperialismo. Em 1935, depois de atacar Corfu, na Grécia, e submeter esse país às suas exigências, Mussolini invadiu a Abissínia, atual Etiópia, e a incorporou ao Império Italiano que tencionava formar. A campanha etíope foi bárbara. O Duce autorizou o uso de gás mostarda e o massacre indiscriminado da população para evitar qualquer oposição. Rebeldes eram lançados de aviões em pleno voo; outros tinham seus corpos mutilados pelos italianos.

Durante a Guerra Civil Espanhola, Mussolini forneceu apoio militar a Franco, ajudando a consolidar o franquismo. Sua colaboração com a Alemanha nazista culminou, em 1939, com o Pacto de Aço, o qual criou o "eixo" Roma-Berlim. Influenciado por Hitler, o ditador italiano introduziu uma legislação antissemita em seu país. A nova lei impedia que os judeus ocupassem cargos no governo e que se casassem com italianos. Em abril 1939, perseguindo seus ideais imperiais, invadiu a Albânia, antes mesmo de Hitler tomar a Polônia, o que viria a acontecer em setembro daquele ano – evento que lançou a Europa na guerra. Foi só em junho de 1940 que Mussolini declarou guerra à Grã-Bretanha e à França.

O Duce não tinha, porém, cacife para enfrentar os inimigos. Seu exército foi prejudicado pela falta de suprimentos. A Itália entrou no conflito quase sem tanques. Havia poucos uniformes, alimentos e veículos. Faltavam matérias-primas para as fábricas italianas produzirem as armas e munições necessárias para os combates. Apesar das vitórias iniciais, os italianos amargaram uma série de derrotas na África Oriental e nos Bálcãs.

Em julho de 1943, as tropas aliadas tomaram a Sicília. Prevendo o fim, os membros do seu próprio governo imediatamente destituíram e prenderam Mussolini. Em setembro, a Itália assinava um armistício com os aliados. O exército se dissolveu, mas alguns italianos decidiram continuar uma guerra de partisans, isto é, de forças irregulares, contra a Alemanha.

Esse, porém, não era o ato final do Duce. Ele voltaria à cena, ainda que brevemente. Em resposta à invasão das forças aliadas, o exército alemão também começou a ocupar a Itália. Nesse processo,

Mussolini foi libertado pelos alemães e recolocado como líder do novo Estado sustentado pelos nazistas, a República Socialista Italiana. Mas Duce não tinha controle da situação. Era apenas um títere colocado a serviço dos nazistas num país em ruínas. Durante o pouco tempo em que recuperou o poder, não fez mais do que executar os antigos associados que o traíram, entre eles seu genro Galezzo Ciano, e escrever suas memórias. Conforme os aliados avançavam através da península itálica, Mussolini e sua amante Clara Petacci tentaram fugir para a Suíça, mas foram capturados por partisans italianos e fuzilados em 28 de abril de 1945.

O corpo de Mussolini e o da amante foram levados a Milão e, depois de pendurados em ganchos de açougue, expostos em praça pública, onde foram apedrejados, escarrados, violados. Os italianos descontaram no cadáver a destruição de seu país por um líder irresponsável.

Adolf Hitler nos anos 1920, no início de sua carreira política.

A DESCOBERTA DE UM DOM

Com o fim da Primeira Guerra, Adolf Hitler continuou a fazer parte do exército alemão, ou melhor, daquilo que sobrou dele, uma força de apenas cem mil homens mantida somente para conservar a ordem interna, o *Reichswehr*. Em 1919, o cabo Hitler recebeu uma ordem que mudaria drasticamente sua vida – e a história do século XX. Ele havia sido designado para assistir a uma série de aulas sobre doutrinação política. A intenção do programa era combater a crescente influência comunista que se espalhava em toda Alemanha, especialmente em Munique e na Baviera, onde Hitler servia. No entanto, ele não foi seduzido pela ideologia, da qual já era convicto, mas pelas aulas de retórica, que faziam parte do curso. Foi uma descoberta, o reconhecimento de um dom. Através dele, Hitler veio a se tornar o Führer; a ser capaz de convencer o indeciso e de fanatizar o adepto. De fato, Hitler se destacou tanto que, como ele mesmo descreve na autobiografia, *Mein Kampf*, acabou sendo ordenado a se "incorporar a um regimento de Munique, nominalmente na qualidade de instrutor". Foi o primeiro passo de uma brilhante carreira política e, também, o começo da sua ascensão.

Os discursos que ele fazia aos outros membros do *Reichswehr* durante o curso que ministrava eram impregnados, como não podia deixar de ser, de um antissemitismo inflamado. Mas a ira de Hitler não se limitava aos judeus. Ele se dedicava igualmente a atacar os comunistas, tão culpados quanto os israelitas pela derrota da Alemanha aos olhos de todo país. O cabo Hitler aprendeu a dominar a plateia, a explorar seu medo e a transformá-lo em raiva, a despertar nela a emoção que bem entendesse. E o artista frustrado finalmente encontrou sua arte: a retórica. Era um mestre e sabia disso. "No transcurso de meu palavreado, reconquistei para a nação e a pátria não direi centenas, mas milhares de camaradas", registrou Hitler no *Mein Kampf*. E ele não estava sendo imodesto. O chefe da chancelaria de Hitler, Philipp Bouhler, afirmou categoricamente que o nazismo "só triunfou porque Adolf Hitler estava no comando", pois "ele é o movimento, uma vez que incorpora em sua pessoa a ideia do nacional-socialismo".

De Soldado a Político

Destino ou acaso? As variáveis da equação que resultou no fenômeno Hitler foram finalmente relacionadas através de uma ordem comum àquele soldado. Em 12 de setembro de 1919, o cabo Hitler foi enviado como observador a um comício, do qual, entre outros, participaria o pequeno Partido Nacional-Socialista dos Trabalhadores Alemães.

Um entediado Hitler ouviu as propostas políticas dos oradores, que buscavam nada além de celebrar uma paz verdadeira com os vencedores. De repente, porém, o tédio de Hitler deu lugar a um ódio inflamado, quando um dos discursadores começou a defender a separação da Baviera do resto da Alemanha. "Em vista de tais coisas, não me restou mais que solicitar permissão para falar e comunicar àqueles doutos cavalheiros minha opinião sobre o particular", registrou Hitler sobre o acontecimento. E ele o fez com tanta fúria – ou "êxito", nas suas palavras – que "antes de concluir o meu discurso, o orador havia fugido do edifício como um cachorro com o rabo entre as pernas".

O discurso de Hitler foi tão inflamado que o líder do Partido Nacional-Socialista dos Trabalhadores Alemães (NSDAP), Anton Drexler, que participava do comício, viu em Hitler a pessoa que buscava para promover o ainda pequeno partido. Imediatamente, aproximou-se do cabo e disse à queima-roupa que as portas do partido estariam abertas a alguém com uma oratória tão surpreendente quanto a dele. Hitler não respondeu de imediato, mas alguns dias depois foi à sede do partido e se afiliou. Não só isso. Com sua característica energia, ele passou a se dedicar de corpo e alma ao partido – e, através deste, a si mesmo. Hitler sempre reconheceu o incrível domínio que ele exercia sobre os outros, e aquela era a oportunidade que ele buscava. Dessa vez, diferentemente de quando ele tentou ser artista, todos os vetores convergiam a seu favor.

Na oratória estava, sem dúvida, o dom de Hitler. Ele era absolutamente consciente disso, a ponto de, no *Mein Kampf*, dedicar um capítulo inteiro ao tema. Em "A Luta nos Primeiro Tempos: A Importância da Oratória", o futuro líder da Alemanha descreveu com precisão cirúrgica o fenômeno que chamou de "sugestão da multidão". Para aquele gênio da manipulação, "as reuniões de grandes multidões são necessárias, pois quando o indivíduo acometido pelo desejo de se alistar em um movimento, mas que teme estar só, ao assistir a elas, recebe ali a primeira impressão de uma numerosa comunidade, que exerce um efeito revigorante e estimulante na maioria das pessoas". Hitler sabia que "um homem que chega a essas assembleias cheio de dúvidas e vacilação sai dali intimamente fortalecido, convertendo-o em um movimento da comunidade" e explorava isso ao máximo.

Sua retórica se baseava, invariavelmente, na polêmica. Além disso, imprimia uma paixão nos seus discursos capaz de inflamar o mais frio dos ouvintes. Não buscava explicar o programa e a doutrina do seu partido, mas sim explorar as emoções da plateia. Na verdade, a força emocional de Hitler espelhava a frustração dos alemães sem, porém, oferecer um caminho para o país. Os orgulhosos alemães tinham sido humilhados na guerra e vilipendiados no tratado de paz. E era o orgulho ofendido desse povo que Hitler alimentava com seu som e sua fúria. Ele semeava ódio e, mais que isso, a necessidade de se punir os culpados, fossem eles comunistas, liberais, democratas, capitalistas ou, principalmente, os judeus – os bodes expiatórios da frustração germânica.

A força da convicção que imprimia nos seus ouvintes o catapultou. Em 1921, apenas três anos depois que se afiliou, Hitler se tornou presidente do NSDAP. Na verdade, mais que isso, Hitler se tornou o próprio partido.

HEIL HITLER

Hitler como líder do Partido Nacional-Socialista dos Trabalhadores Alemães.

Apesar da inegável projeção que Hitler conquistou à frente do Partido Nacional-Socialista dos Trabalhadores Alemães (NSDAP), ele não era, no início, nem de longe, a principal figura do movimento. Nessa época, o jovem cabo nem mesmo tinha confiança em si mesmo para se imaginar como o poderoso ditador, o Führer, isto é, o líder de toda a Alemanha que ele viria a ser. Sua missão pessoal, nos primeiros anos da década de 1920, era ser um agitador social incumbido de abrir caminho para um governante realmente capaz. Isso fica claro em alguns dos seus discursos, como o proferido em 4 de maio de 1923. Na ocasião, Hitler afirmou taxativamente que "nossa tarefa é forjar a espada" que o futuro governante usaria. "Nossa tarefa", declarou ele, "é dar ao ditador, quando ele aparecer, um povo preparado para ele".

Isso, porém, viria a mudar por conta do próprio povo alemão, que passou a ver na figura de Hitler o líder que tiraria o país daquela situação tão terrível quanto humilhante. E foi justamente a força e a determinação de Adolf Hitler que conquistou os alemães. No entanto, ele não fez isso sozinho, mas deveu o apoio à ascensão, em grande parte, a Ernst Röhm, um antigo combatente da Primeira Guerra tão fanático e perturbado quanto o próprio líder da NSDAP.

Röhm tem um capítulo especial na história do nazismo. Talvez Hitler nunca chegasse onde chegou sem Röhm. Eram duas pessoas unidas por ideais tão semelhantes, de visão e objetivos tão próximos, a ponto de colaborarem intimamente, mas, ao mesmo tempo, absolutamente separadas pelas ambições pessoais a ponto de se tornarem uma ameaça uma para a outra: assim eram Adolf Hitler e Ernst Röhm.

Enquanto Hitler, a ponta de lança do Partido Nacional-Socialista dos Trabalhadores Alemães (NSDAP), precisava de Röhm por conta de seus contatos no alto escalão do *Reichswehr* – o que restou do exército alemão depois do Tratado de Versalhes – e para formar sua imprescindível milícia, este acreditava que podia usurpar os poderes de Hitler quando chegasse a hora. Ledo engano. Nesse ninho de cobras, foi Hitler quem usou Röhm como quis, até que este deixou de ser necessário.

Além de formar as Tropas de Assalto (SA), as quais calavam à força os detratores de Hitler, enquanto este vomitava a mensagem nazista nos comícios, Röhm apresentou a estrela do NSDAP ao general Erich von Ludendorff (1865 – 1937), um dos mais prestigiados oficiais da *Reichswehr*. No entanto, não demorou para que Hitler se livrasse de Röhm. Os membros da SA eram tremendamente fiéis ao seu fundador, mais mesmo que a Hitler.

Em 1923, numa manobra política digna de serpente, Hitler depôs Röhm e nomeou Hermann Göring, um herói da Primeira Guerra tremendamente leal a ele, comandante da sua milícia. Não bastasse isso, para que Röhm não viesse a representar qualquer ameaça, Hitler fez com que ele fosse executado sem julgamento, em 1934. Um dos pretextos usados contra Röhm foi seu homossexualismo, o qual Röhm não buscava esconder. Röhm era, de fato, um homossexual assumido, com o rosto marcado por cicatrizes de tiros, perito em táticas militares, que buscava um movimento onde se destacar e conquistar o poder que julgava merecer.

Mas voltemos ao início da relação entre Hitler e Röhm. Como vimos, os discursos de Hitler fizeram eco em suas convicções, e Röhm ingressou na NSDAP quando o partido ainda estava no início. Imediatamente surgiu uma tremenda sinergia entre Hitler e ele. O partido precisava de alguém como Röhm – um oficial do exército alemão, ou melhor, daquilo que sobrou dele, o *Reichswehr* – com contatos no alto escalão. Foi através de Röhm que o NSDAP conseguiu armas e equipamentos para formar uma força paramilitar que protegesse os líderes do partido durante os comícios.

Naquela época, diversas organizações paramilitares de caráter ultraconservador e de extrema direita grassavam na Alemanha, surgidas em função, principalmente, do desemprego, da inflação aviltante e fundamentalmente em oposição à esquerda contrária à manutenção de uma Alemanha unificada. Organizações como os Stahlhelm, isto é, Capacetes de Aço, a Einwohnerwehr, ou Força para a Defesa do Cidadão, e a feroz Freikorps, integrada por antigos combatentes frustrados e sedentos de vingança pela derrota que sofreram na Primeira Guerra, formavam-se para defender seus ideais e confrontar aqueles que julgavam ser os traidores da pátria.

Naquele estado de coisas, as disputas políticas eram resolvidas à bala e venciam os mais fortes, mais organizados e mais bem armados. Logo após o término da Primeira Guerra, a Alemanha se viu à beira de uma guerra civil entre os comunistas e a extrema direita. Durante um curto período, em 1919, os comunistas exerceram forte influência em Munique e em toda Baviera. Isso levou a combates entre os marxistas e os *Freikorps* apoiados por unidades da *Reichswehr*. A "Revolta Espartaquista", como foi chamada a tentativa da esquerda de tomar o poder e separar a Baviera do resto da Alemanha, começou quando as milícias de esquerda ocuparam os escritórios do jornal social-democrata Vorwäts. Depois de vários dias de combates nas ruas de Munique, os *Freikorps* acabaram com a revolta com um banho de sangue: centenas de rebeldes foram mortos e vários líderes comunistas, assassinados.

Era necessário, portanto, que também a NSDAP tivesse sua própria força paramilitar se quisesse se consolidar. E essa tarefa foi dada a Ernst Röhm. Em agosto de 1921, o entusiasmado Röhm criou a Sturmabteilung, ou Tropa de Assalto (SA). Constituída por antigos membros dos *Freikorps* e da *Reichswehr*, a SA logo se fez notar por sua violência quase sempre injustificada. Hitler apoiava publicamente a atitude feroz dos "camisas pardas", como os membros da SA foram apelidados por conta dos seus uniformes. Num dos seus discursos, Hitler afirmou que "o futuro de um movimento depende do fanatismo – e até mesmo da intolerância – com que seus partidários o exaltam, exibindo-o como o único rumo certo e levando-o adiante em oposição a ideias contrárias".

Num primeiro momento, a SA era pequena comparada com as outras forças paramilitares alemãs da época. Em 1922, havia cerca de oitocentos camisas-pardas contra meio milhão de membros da

Einwohnerwehr, e, enquanto a SA se limitava apenas a Munique e à Baviera, o Sathlem tinha representações em toda Alemanha. No entanto, graças ao carisma de Hitler – e às péssimas condições de vida no país – a SA, com seus estandartes e suásticas, cresceu em proporção geométrica.

O magnetismo de Hitler e a força demonstrada pela SA, calando quem quer que se opusesse à NSDAP, acabaram conquistando uma verdadeira legião de seguidores. Cada vez mais, Hitler passava a assumir uma atitude messiânica que incendiava uma Alemanha sem rumo e sem esperança. Gradativamente, ele surgia como o grande líder que tiraria o país do buraco. E Hitler, que no início da sua atividade política se via apenas como um profeta, um João Batista, a preparar o caminho e a anunciar a vinda do grande salvador que traria a redenção do povo alemão, começou a acreditar que, de fato, ele era esse líder. A partir de então, a loucura dominou o Partido Nacional-Socialista dos Trabalhadores Alemães.

Os membros da SA passaram a realizar um juramento de fidelidade e de lealdade não à doutrina nacional-socialista, ou à Alemanha, mas sim a Hitler. Isso ficou patente com a saudação que passou a ser usada a partir de 1926: "Heil Hitler!", isto é, "Salve Hitler!". Dessa forma, aquele cabo do exército derrotado, artista frustrado, indigente, pintor de parede, desertor das forças austríacas, mas herói de guerra e dono de uma eloquência impressionante, viu-se transformado em algo até mesmo maior que o líder absoluto do nacional-socialismo. Hitler era tido por toda Alemanha como o próprio Partido Nacional-Socialista. Ele acabou ultrapassando as fronteiras da Baviera e passou a ser cultuado em todo o país. De acordo com o psicólogo e escritor Pablo Jiménes Cores, foi essa devoção a Hitler em âmbito nacional que "contribuiu determinantemente para alimentar sua autoconfiança e sua tendência natural à egolatria, ao despotismo e à megalomania". Faltava apenas tomar o poder em suas próprias mãos, o que Hitler procurou fazer através de um golpe de Estado.

Forças nazistas na Marienplatz durante o Golpe de Munique, em 1923.

O GOLPE DA CERVEJARIA

Entre todas as coincidências e ironias do destino que levaram Adolf Hitler e o Partido Nacional-Socialista dos Trabalhadores Alemães (NSDAP) ao poder, possivelmente, a maior delas foi um fracasso que acabou sendo revertido em vitória. O *Putsch*, ou "golpe", da Cervejaria, o nome com o qual a tentativa de golpe de Estado passou para a história, colocou Hitler na prisão, mas, ao mesmo tempo, catapultou sua mensagem em âmbito nacional, incendiando toda a Alemanha.

O estopim do movimento foi aceso em janeiro de 1923, quando forças francesas e belgas ocuparam uma região ocidental da Alemanha, o Rühr, não só para garantir que o país cumprisse os pagamentos estipulados no Tratado de Versalhes, mas também por medo de uma futura invasão, como, de fato, veio a acontecer no início da Segunda Guerra Mundial. Logo, o barril de pólvora explodiu. Os alemães exigiram veementemente que seus governantes tomassem medidas. E como se a situação já não fosse tremendamente inflamável, mais lenha foi jogada na fogueira, quando os soldados franceses abriram fogo contra operários alemães que protestavam contra a invasão. Dezenas de opositores foram mortos e feridos.

Indignados com o acontecimento, os partidos extremistas incitaram as massas, exigindo uma atuação imediata e efetiva da titubeante República de Weimar. A mensagem implícita que passavam em seus comícios era a de que, se o governo não tomasse providências, eles mesmos o fariam. A resposta do governo foi tímida – ao menos para os extremistas. E uma crise incendiária se alastrou por todo o país.

Uma das consequências da invasão franco-belga foi que os partidos de extrema direita se uniram sob a *Kampfbund*, ou Liga de Batalha, e Hitler foi escolhido como seu líder. Mas não foi só isso que aconteceu. Motins nas ruas, greves, anarquia, particularmente em Munique e na Baviera, a região onde Hitler e o NSDAP atuavam, fizeram com que o governo de Weimar concedesse plenos poderes ao chefe do alto governo da Baviera, Gustav Ritter von Kahr. Em setembro, Von Kahr decretou estado de emergência e conseguiu impor uma certa estabilidade na região. No entanto, ele precisou usar a força.

Uma vez mais, milícias comunistas viram uma oportunidade de tomar o poder e separar a Baviera do resto do país. Assim, atacaram o comissariado de polícia, mas foram recebidos à bala e dominados. Confiante da sua energia, Von Kahr pensou em estender sua ação e influência para o resto do país. E ninguém melhor que Hitler, que contava com o apoio do general Erich von Ludendorff – uma das principais lideranças das encolhidas forças alemãs, o *Reichswehr* – e da sua própria milícia, as Tropas de Assalto (SA), para ajudá-lo a coordenar um golpe de Estado. Von Kahr ofereceu ao líder da Liga de Batalha uma generosa fatia de poder depois que o novo regime fosse imposto.

Mas apesar desse acordo inicial, Von Kahr acabou deixando Hitler e a sua Liga de lado. Havia muitas disputas e diferentes pontos de vista envolvidos. Von Kahr era um membro da aristocracia e um político experiente e habilidoso. Hitler e seus seguidores eram, por sua vez, independentes demais. Além disso, Von Kahr tinha conseguido apoio direto em várias regiões do país e não precisava mais de Hitler e da SA. O que Von Kahr não esperava era que a Liga de Batalha fosse agir por conta própria.

Golpe na Cervejaria

Na noite de 8 de novembro de 1923, numa grande cervejaria da cidade, a Bürgerbräukeller, Von Kahr proferia um inflamado discurso antimarxista a uma plateia repleta de aristocratas, dirigentes políticos, oficiais do exército e outros influentes representantes da sociedade bávara, quando algo inesperado aconteceu. De repente, o salão foi invadido por cerca de mil homens da SA. Uma metralhadora pesada foi introduzida no recinto e postada num ponto estratégico, ameaçando a atônita plateia. Em seguida, de forma um tanto teatral, Hitler entrou, pistola na mão, vestindo de negro e escoltado por dois membros da SA – suásticas estampadas nos uniformes. Em meio ao tumulto, o líder da liga dos partidos de extrema direita disparou sua pistola para o ar, atraindo a atenção para si. Hermann Göring, o líder das AS, tomou a palavra e aconselhou os presentes a continuar bebendo calmamente sua cerveja.

Von Kahr e seus aliados mais próximos foram convidados a participar de uma reunião com Hitler e Ludendorff, que chegou à cervejaria depois que a situação foi controlada, numa sala reservada. De acordo com o ferrenho opositor do nazismo Hans Bernd Gisevius (1904 – 1974), autor da importante obra *Bis zum Bitteren Ende - Até o Amargo Fim* (Fretz Wasmuth, Zurique, 1961), onde retrata sua luta antinazista, Hitler conduziu a negociação de arma na mão. Disse que Von Kahr deveria fazer parte do levante e "ocupar lugar designado (no novo governo) segundo os acordos precedentes".

No entanto, a revolução de Hitler foi improvisada. O próprio Ludendorff não estava de acordo com a forma de agir de Hitler – absolutamente emocional e praticamente sem nenhum planejamento. Apesar de a SA ter tomado alguns pontos nevrálgicos de Munique e alguns quartéis, sem o apoio das tropas da cidade, controladas por Von Kahr, a Liga de Batalha não conseguiu dominar a capital da Baviera. Depois de tranquilizar a influente plateia da cervejaria, Hitler deixou o lugar sob o comando de Ludendorff e foi ter com suas tropas. Quando voltou, porém, Von Kahr e seus aliados haviam debandado. Ludendorff os havia libertado sob promessa de que não interfeririam. Mas, longe da ameaça de Hitler, Von Kahr se apressou em entrar e telegrafar, informando o governo central sobre o golpe, e Weimar abafou o levante imediatamente.

Na manhã de 9 de novembro, numa tentativa desesperada de reverter a situação, Hitler, Ludendorff e cerca de dois mil homens da SA saíram em marcha pelas ruas de Munique. A ideia – semelhante ao que ocorreu aos "Dezoito do Forte", os tenentes que, em 1918, tomaram o Forte de Copacabana, no Rio de Janeiro – era a de que os cidadãos adeririam à caminhada, numa demonstração que faria as forças da *Reichswehr* passar para o lado dos rebeldes. Mera ilusão. Embora milhares de pessoas tivessem, de fato, acompanhado os rebeldes cantando hinos e palavras de ordem durante o percurso, quando se aproximaram de uma barricada da polícia e da *Reichswehr*, aconteceu o inevitável. Sem aviso prévio, as forças governistas abriram fogo. Os homens de Hitler responderam da mesma forma, iniciando um tiroteio. O combate durou menos de um minuto, mas, quando acabou, 18 mortos – 14 membros da SA e 4 policiais – jaziam no chão. O próprio líder das SA, Hermann Göring, foi ferido, e Hitler, lançado no chão por um dos seus milicianos quando este recebeu o impacto de um tiro, acabou a marcha com o ombro deslocado. Ludendorff, por sua vez, caminhou até as posições governistas e se rendeu.

De Traidor a Patriota

Policiais mortos, ocupação de quartéis, tentativa de golpe de Estado: os estragos provocados por Hitler e seus seguidores implicariam, quase certamente, em pena de morte. No entanto, quando o julgamento do líder dos partidos de direita começou, o genial orador acabou revertendo completamente a situação e passou de acusado a acusador. Numa tacada de mestre, Hitler acabou usando o julgamento para promover a si mesmo e ao seu partido. Sem procurar se defender, ele assumiu toda a responsabilidade pela malograda conspiração, mas – e aí residiu a perspicácia da sua defesa – afirmou, num dos seus discursos incendiários, que tentava salvar a Alemanha e, portanto, tinha agido como patriota e não como traidor.

Em seu livro *A Estratégia de Hitler* (Madras Editora, São Paulo, 2006), Pablo Jiménez Cores cita um trecho da fala que Hitler proferiu em sua defesa: "mesmo que os juízes deste Estado possam empenhar-se em sua condenação de nossas ações, a história, deusa de uma verdade maior e de uma lei melhor, há de sorrir quando desfizer o que foi feito neste julgamento e nos declarar livres de culpa e isentos do poder de expiação". O resultado foi que os juízes acabaram se curvando aos argumentos de Hitler. Sabiam que o governo imposto pelo Tratado de Versalhes era mais uma humilhação causada pelos inimigos e concordavam que a Liga de Batalha lutava sinceramente para conduzir a Alemanha a uma solução melhor. Além disso, Hitler contava com a simpatia – quando não com a fidelidade – de quase todo o país. Assim, todos os envolvidos receberam penas extremamente leves. Alguns foram até mesmo absolvidos.

Em termos políticos, o Putsch da Cervejaria acarretou a fusão do NSDAP com os demais partidos da Liga de Batalha num único partido, chamado de Grande Comunidade Nacional Alemã. A SA também se tornou independente do partido e seu fundiu às outras milícias de direita.

Quanto a Hitler, o cabeça do malogrado golpe, ele foi condenado a cinco anos de prisão, mas acabou cumprindo meros 13 meses, numa confortável cela que mais parecia um gabinete de trabalho. Lá, ele continuou a receber visitas de membros da elite do seu partido, além de contar com a simpatia e o apoio dos guardas, carcereiros e dos outros prisioneiros.

Ironicamente, o Putsch da Cervejaria acabou sedimentando o sucesso de Hitler e do nacional-socialismo. O futuro Führer soube aproveitar o tempo na prisão para sistematizar o ideal nazista, escrevendo o livro que viria a ser a bíblia da sua ideologia, a autobiografia *Mein Kampf*, ou "Minha Luta". E como uma fênix que renasce das próprias cinzas, Hitler saiu da prisão renovado e mais forte do que nunca. Provara sua coragem, energia e determinação ao povo alemão, que agora o apoiava quase que irrestritamente. Só faltava agora tomar o poder e guiar a Alemanha rumo à sua salvação – ou àquilo que Hitler e seus aliados imaginavam ser a salvação do país. Como todos sabem, essa "salvação" conduziu a Alemanha a uma nova guerra e, ainda pior, à sua ruína.

Retrato de Hitler no final dos anos 1920.

MINHA LUTA

Apesar de ser um brilhante orador e de ter consciência de que "o triunfo de todos os grandes movimentos ocorridos no mundo foi obra de grandes oradores, e não de grandes escritores", Adolf Hitler sabia que "a unidade e uniformidade na defesa de qualquer doutrina exigem que seus inextinguíveis princípios sejam formulados por escrito". Assim, enquanto cumpriu pena por ter articulado o fracassado golpe de Estado que ficou conhecido como *Putsch* (Golpe) da Cervejaria, Hitler se dedicou a escrever a obra que veio a ser a bíblia do nazismo, o *Mein Kampf*. O livro é, na verdade, mais que uma história autobiográfica da sua ascensão. Nele estão os princípios do nacional-socialismo conforme entendidos por Hitler. É uma tese repleta de ressentimento e que veio a influenciar todo povo alemão de uma forma, no mínimo, assustadora. Publicado em 1925, em 1933 o livro já tinha vendido mais de 1,5 milhão de exemplares e começava a ser editado em braile. No final da Segunda Guerra, em 1945, já havia sido traduzido para 16 idiomas e vendido mais de 10 milhões de cópias. E mesmo apesar das propostas contidas no livro – inconcebíveis aos olhos modernos –, a Alemanha outorgou poder ao seu autor.

Em seguida, uma visão dos principais pontos da doutrina nazista de acordo com o *Mein Kampf*.

Antissemitismo

Um dos pilares sobre o qual se sustentou o ideal do nazismo foi o antissemitismo. Entre os principais motivos pelos quais Hitler culpava os judeus pelos problemas da Alemanha estava o fato de estes serem partidários da república e contrários à monarquia. Muitos israelitas que sequer tinham participado da guerra insistiram no ideal republicano quando a Alemanha ainda lutava. Eles eram, aos olhos do idealizador do nacional-socialismo, os traidores que, com sua interferência política, levaram a Alemanha à derrota.

O ódio aos judeus era, porém, anterior à guerra. Também não era exclusivo de Hitler nem dos alemães. Na Áustria, políticos como Ritter von Schönerer – que influenciou sobremaneira o futuro Führer durante sua juventude em Viena – já nutriam um antissemitismo exacerbado. E pelo mesmo motivo, isto é, os israelitas eram republicanos, inclinados ao ideal democrático, e, portanto, contrários à monarquia.

Foi ainda numa idade precoce que Hitler percebeu "a diferença entre os judeus e as demais pessoas" e o fato de eles serem "uma população que nenhuma semelhança tinha com os germânicos". E passou a não tolerar qualquer coisa produzida pelos israelitas, fosse nas artes, no cinema, no jornalismo. O que quer que viesse dos judeus estava "infectado", segundo Hitler. Assim, não havia motivo para permitir que a raça judaica continuasse a se imiscuir na pátria germânica.

Antimarxismo

Os outros culpados pela derrota da Alemanha e pela instabilidade que ela veio a enfrentar depois da guerra eram, no entender de Hitler, os comunistas. Como no caso dos judeus, o ódio doentio contra os soviéticos fica bem evidenciado nas cifras aproximadas do Holocausto (não se conhece o número exato de vítimas): entre 5,6 e 6,1 milhões de judeus e 2,5 e 4 milhões de prisioneiros de guerra soviéticos.

Hitler havia estudado a obra de Karl Marx nos anos de ócio e quase indigência em Viena, mas seu ressentimento com relação aos comunistas vinha do que ele classificava como antipatriotismo. Durante a guerra, trabalhadores marxistas promoveram greves que fizeram os homens nas linhas de frente passar graves necessidades. Além disso, depois do fim do conflito, os seguidores da doutrina de Marx tentaram tomar o poder e fragmentar a Alemanha. Eram uma ameaça à unidade do país.

Para fechar o circuito, Hitler se opunha ao marxismo porque ele entendia que os judeus estavam por trás desse conceito. Segundo o *Mein Kampf*, "a doutrina judaica do marxismo nega o princípio aristocrático da natureza e, em lugar do eterno privilégio da força e da energia, coloca seu peso morto em cima dos números". Como se vê, para Hitler, que admite ter se tornado um "fanático antissemita", os judeus estavam por trás de tudo aquilo que ele entendia como mau e ameaçador.

Divisão de Poder

Hitler dizia que a estrutura administrativa deveria pressupor que o "cérebro" estivesse "acima das multidões". Os dirigentes políticos teriam conselheiros, mas a palavra final "será obra de uma só pessoa", isto é, do próprio Hitler. Nada mais totalitarista, portanto, que o nazismo.

O Princípio da Luta

Hitler propôs que para se viver em paz e, ao mesmo tempo, assegurar a sobrevivência dos germânicos, era preciso lutar para garantir sua segurança. "Primeiro deveríamos lutar", escreveu ele, "depois teríamos o pacifismo". Na verdade, o "pacifismo" a que Hitler se refere é a dominação e a escravização de outros povos – como aconteceu de fato com os judeus. "Para que uma cultura superior se desenvolvesse (isto é, os germânicos), foi necessário que existissem indivíduos de civilização inferior, pois ninguém, sem eles, poderia substituir o instrumento técnico sem o qual o progresso é inconcebível", pregava Hitler.

Super-Homens

Outro princípio defendido por Hitler no *Mein Kampf* era a purificação da nação germânica. Por conta disso, o Estado "declarará impróprio para a reprodução qualquer um que esteja evidentemente enfermo ou padeça de incapacidade hereditária". Em suma: a autoridade nazista é quem determinaria os aptos ou não para terem filhos, podendo até mesmo esterilizar os indivíduos que não correspondessem ao padrão determinado. De uma medida como essa para a eliminação dos indesejados foi necessário dar apenas um passo.

Status dos Germânicos

Hitler propunha dividir a população da Alemanha (e posteriormente da Áustria), em três classes distintas: cidadãos do Estado, súditos e estrangeiros. O último não teria nenhum direito de participar da vida cívica. Mas não bastava ser nascido na Alemanha (nem na Áustria, depois da anexação desse país, em 1938). Isso determinava simplesmente o status de súdito, o que implicava que a pessoa nessa condição não podia exercer a função de funcionário público nem de tomar parte na vida política. Para ser cidadão era preciso estar completamente disponível ao Estado. Tratava-se de uma conquista. Depois de ter estudado nas escolas governamentais ele deveria prestar serviço militar. Só então, "o jovem saudável e possuidor de uma folha de serviços irrepreensível será investido com os direitos da cidadania, e o documento que confirma isso deverá ser considerado o mais importante de sua existência nesta terra".

Educação

Hitler propunha uma nação de homens "medianamente educados, mas saudáveis de corpo". Por isso, as "escolas do Estado Nacional deveriam dedicar mais tempo ao exercício corporal", especialmente ao boxe. Para Hitler, "não existe esporte algum que estimule tanto o espírito de ataque como este". O Führer queria um país de soldados.

Desfile militar em Berlim no início do governo nazista.

O NAZISMO

O final da Primeira Guerra e o início da Segunda não são períodos de paz, como se poderia imaginar. O historiador inglês Eric Hobsbawm chama o período que vai de 1914, início do maior conflito militar até então vivido, até 1945, portanto, quando o Japão se rendeu, pondo um fim a essa época de "Guerra dos 31 anos". Para esse grande autor inglês, não houve um período de paz, mas um breve interlúdio, como o intervalo entre o primeiro e o segundo tempo de um jogo.

A tensão era provocada principalmente pelas divisões étnicas e sociais resultantes da Primeira Guerra. O final das beligerâncias redesenhou as fronteiras europeias. As novas divisões territoriais trouxeram descontentamento e aumentaram a rivalidade. Em grande parte da Europa, a crise econômica mundial iniciada em 1929 e o temor de uma revolução comunista – como a que tomou a Rússia – pintaram o quadro com cores ainda mais pesadas. Como resultado, parte da Europa, com exceção das monarquias do norte e da Europa Ocidental, foi tomada por regimes autoritários. Portugal, Espanha, Itália, Rússia, Alemanha, entre outros, passaram a ser governados por ditaduras. Na Alemanha, porém, o regime de ultradireita que se impôs, o nazismo, ou nacional-socialismo, revelaria-se o mais arbitrário de todos, lançando o mundo numa guerra mundial e criando, até mesmo, campos de extermínio para eliminar populações indesejadas.

Tendência

Apesar da associação que sempre se faz entre o nazismo e a Alemanha, muitas características desse regime não são exclusivamente alemãs. No início, os nazistas eram chamados de fascistas e se inspiravam em Benito Mussolini. A tentativa frustrada de Hitler de conquistar o poder em 1923, num golpe que ficou conhecido como o Putsch da Cervejaria, seguido de uma marcha em Berlim, foi inspirado na bem-sucedida marcha que Mussolini fez em Roma em 1922. Na verdade, o fascismo italiano inspirou diversos movimentos em toda a Europa – até mesmo na França, Bélgica e Grã-Bretanha.

O final da Primeira Guerra viu surgir diversas organizações fascistas ou nacionalistas autoritárias. Todos esses movimentos tinham algumas características comuns, igualmente típicas do nacional-socialismo. Todas abraçavam um nacionalismo radical, tinham hierarquias militares, pregavam e lançavam mão da violência, cultuavam um líder carismático, desprezavam as liberdades individuais e os direitos civis, possuíam orientação antidemocrática e antissocialista e se recusavam a socializar as indústrias. O historiador Raffael Scheck, professor do Colby College, em Maine, EUA, julga que esses movimentos, "conforme revela em particular sua organização militar e inclinação à violência, foram um fenômeno do pós-guerra, aparentemente inspirado pelo cruel derramamento de sangue na guerra e pela dissolução dos valores morais".

Curiosamente, esses sistemas autoritários foram mais predominantes entres os países que perderam a Primeira Guerra, como a Alemanha, a Rússia e a Hungria, e outros, como a Itália, que se viram prejudicados pelo conflito. Entretanto, nem todos esses movimentos chegaram ao poder, mas alguns receberam o apoio dos nazistas depois da ocupação de seus países e tiveram um importante papel enquanto satélites do nacional-socialismo. É o caso dos fascistas húngaros e croatas, que lutaram ao lado dos alemães durante a Segunda Guerra.

Apesar das características comuns a esses movimentos, o racismo e o antissemitismo foram fenômenos exclusivamente nazistas, não presentes no fascismo italiano. Os nazistas acreditavam que os judeus pretendiam dominar o mundo através do controle financeiro, industrial e editorial, a chamada "subversão judaica" e por isso deviam ser combatidos – um conceito que, ao longo do regime nazista, deu origem à "solução final", o extermínio dos judeus. Na verdade, a ideologia racista era de tanta importância para Hitler e para a elite nazista que é quase impossível dissociar o nacional-socialismo dela.

Império Alemão

O nazismo se desenvolveu ao redor das crenças políticas de Adolf Hitler. Embora as inclinações de Hitler tenham sido quase sempre surgidas das circunstâncias e as necessidades do momento, os principais bordões do criador do nazismo eram o antissemitismo, o anticomunismo, o antiparlamentarismo, a expansão da Alemanha e a crença na superioridade da raça ariana. Hitler misturou esses elementos e determinou o conceito fundamental do nazismo, uma paranoia que se tornou coletiva, sustentando que o povo alemão estava ameaçado pela conspiração judaico-bolchevique e, por isso, precisava se unir, se disciplinar (sob a liderança nazista, claro) e se sacrificar para vencer.

Grande parte da ideologia nazista está descrita no *Mein Kampf*, a biografia, como vimos, que Hitler escreveu quando esteve preso durante um ano, depois do malfadado Golpe da Cervejaria. No entanto, o escopo de sua orientação política já havia sido desenvolvido quando Hitler viveu em Viena, entre 1907 e 1913. Ele concluiu que havia uma hierarquia racial, religiosa e cultural. No topo, segundo Hitler, estariam os arianos, e no grau mais baixo, os judeus e ciganos. Sendo austríaco e tendo vivido os momentos de agonia do Império Austro-Húngaro, Hitler julgou que as diversidades étnicas e linguísticas haviam enfraquecido o império. Ele também entendeu que a democracia era uma força desestabilizadora, uma vez que esse regime concede poder às minorias.

A principal instância do nazismo é a superioridade ariana. Todas as ações nazistas eram no sentido de promover a supremacia dos povos germânicos em detrimento de outros povos. Os mais fracos deveriam ser aniquilados, submetidos pelos mais fortes, isto é, os germânicos, donos do suposto direito natural de dominar as outras etnias. Para tanto, os nazistas defendiam um governo centralizado num Führer, que defenderia os povos germânicos contra o comunismo e a subversão judaica.

Entre outras obras, a filosofia racial nazista foi influenciada principalmente pela Teoria da Invasão Ariana, de Alfred Rosenberg (1893 – 1946), um dos primeiros membros e mentor intelectual do Partido Nacional-Socialista. A teoria de Rosenberg coloca os antigos arianos no Irã. De lá, eles invadiram a civilização do Vale do Rio Indo, na atual Índia, para onde levaram conhecimentos científicos que haviam preservado de Thule, uma civilização ariana antediluviana ligada à perdida Atlântida. Na verdade, a maioria dos fundadores e líderes do Partido Nazista fazia parte da Sociedade Thule, a qual promovia rituais baseados nessas crenças.

De uma maneira que faz lembrar a divisão de castas que os invasores arianos impuseram na sociedade hindu, quando invadiram a Índia, Hitler sustentava que uma nação é a maior criação de uma "raça". Para ele, as grandes nações foram desenvolvidas pelas raças "com boa saúde natural e traços agressivos, corajosos e inteligentes". As nações fracas, afirmava o Führer, eram compostas de "raças mestiças" ou "impuras". Os piores de todos, porém, eram os "subumanos", considerados "parasitas" ou "vida que não merece a vida". Entre eles estavam os povos sem nação, como os judeus e os ciganos, e testemunhas de Jeová, os homossexuais, os deficientes físicos.

Os judeus – e os eslavos – foram o principal foco da perseguição nazista. O antissemitismo nazista se baseava na crença de que os judeus fomentavam, em geral, a divisão entre as nações e, em particular, entre os alemães. Esse preconceito se baseava não só em premissas raciais, mas igualmente na propaganda nazista, a qual sustentava que os judeus pregavam a plutocracia – o sistema político onde o poder é exercido pelos mais ricos – e exploravam os trabalhadores.

Os nazistas também acreditavam que as grandes nações se destacam por conta do seu poder militar e da manutenção da ordem interna. Para cativar o povo alemão, os nazistas exploraram o revanchismo que dominou aquele país depois da derrota na Primeira Guerra. Grande parte dos alemães foi seduzida pela ideia – e se comprometeu com ela – de criar uma Grande Alemanha, a qual incluiria também a Áustria. Os nazistas, por sua vez, pregavam que para atingir essa meta era necessário o uso de força militar.

Hitler afirmava que os países que não conseguissem defender seus territórios não o mereciam. Acreditava que, ao contrário das "raças líderes", as "raças escravas", como os eslavos, não mereciam existir. Se uma raça superior precisasse de mais território para viver, era seu direito tomar as terras das raças inferiores. Não só isso, a doutrina nazista pregava que era preciso eliminar as "raças parasíticas" de seu território.

A crença na necessidade de se purificar a raça germânica levou à eugenia, uma corrente que estuda as condições mais propícias à reprodução e ao melhoramento da raça humana. Isso incluía a eutanásia involuntária dos deficientes físicos e mentais e a esterilização compulsória daqueles que sofriam de algum mal hereditário.

As experiências que Hitler viveu durante Primeira Guerra Mundial e a Revolução Bolchevique na Rússia afetaram igualmente seu ponto de vista político. A derrota da Alemanha, país pelo qual

Hitler combateu, e a consequente queda da monarquia foram uma humilhação que ele tomou como algo pessoal. A chegada dos comunistas ao poder na Rússia, por sua vez, teve um efeito dominó sobre o proletariado europeu de forma geral. A reação veio na forma de regimes de ultradireita, entre eles, o nazismo.

O nacionalismo exacerbado preconizado pelo nacional-socialismo buscava atingir a supremacia ilimitada. O objetivo era construir um império mundial dominado pelos povos alemães. Essa ideia é um dos conceitos centrais do *Mein Kampf*, traduzido no lema "um povo, um império, um líder". O povo devia estar a serviço do império, ou *Reich*. Na verdade, o termo "nacional-socialismo" deriva desse relacionamento entre o cidadão e a nação. O "socialismo" dos nazistas se referia às obrigações dos indivíduos com o *Reich*. Todas as ações – até mesmo a maternidade – deviam ser realizadas a serviço do império nazista.

Com o Poder nas Mãos

Adolf Hitler assumiu o poder em 1933 e logo transformou a Alemanha num Estado totalitário. Todos os direitos civis foram suspensos, os partidos políticos dissolvidos, as greves proibidas e os sindicatos fechados. Com plenos poderes, Hitler partiu para erradicar tudo o que não era alemão da cultura, instituições e economia do novo Estado. E sua ira foi dirigida, primeiro, aos judeus e, em seguida, aos sindicatos e opositores.

Mas ao mesmo tempo em que esmagava o operariado e os judeus, Hitler não deixou de agradar os principais setores da sociedade alemã. A indústria pesada e os grandes negócios permaneceram intocados, a não ser pela remoção dos administradores e proprietários judeus. Hitler chegou mesmo a colocar industriais proeminentes em posições de poder dentro do seu governo. Na verdade, o setor industrial ficou plenamente satisfeito com os nazistas, uma vez que eles haviam colocado o Partido Socialista na ilegalidade e restringido os sindicatos.

O exército também apoiou a ditadura nazista. Além da promessa de intensificar o rearmamento, Hitler pôs um fim à ameaça comunista que pairava sobre a Alemanha desde o fim da Primeira Guerra.

Por volta de meados de 1933, quase todos os grupos da sociedade alemã ou haviam sido reprimidos ou estavam mais ou menos satisfeitos. A economia havia retomado o crescimento já no final do ano anterior e a mordaça colocada nos sindicatos possibilitou que os industriais retomassem seus lucros – ao custo dos trabalhadores. Apesar de os nazistas receberem o crédito pela retomada da expansão econômica, isso se devia menos à sua política do que à tendência mundial e às medidas tomadas nos governos anteriores. O desemprego havia diminuído e o terror que assolou a Alemanha na década de 1920 recrudescia. De certa forma, os eleitores que votaram em Hitler esperando lei, ordem e a retomada do crescimento econômico sentiam que tinham feito a escolha certa. Os alemães que não eram nem judeus nem socialistas puderam voltar a viver como antes da Primeira Guerra.

Em suma, o objetivo do nazismo era basicamente reestruturar a sociedade alemã de acordo com categorias raciais. Trata-se de uma ideologia assassina e egoísta, embasada na alienação moral, criada por uma raça que se dizia escolhida e que se sustentaria em detrimento de todos os outros seres humanos. Infelizmente, é uma ideologia que continua a inspirar corações desesperados.

Mesmo com o fim do regime nazista depois da Segunda Guerra, os ideais do nacional-socialismo continuaram – e continuam – vivos. Em muitos países há grupos neonazistas buscando reviver o regime que dominou a Alemanha de 1933 a 1945. Apesar da distância cultural e geográfica que os separa, os neonazistas de hoje têm em comum o culto a Hitler, o antissemitismo, o nacionalismo, a crença na superioridade dos brancos e, consequentemente, o racismo, a xenofobia, bem como o militarismo e a violência. Os neonazistas, claro, também adotaram os símbolos do Partido Nacional-Socialista. A suástica continua sendo seu principal estandarte.

Os neonazistas se unem invariavelmente em torno da perseguição dos estrangeiros. Na Europa, diversos grupos com essa orientação política, como o Movimento Social Fascista, na Itália, ou a Frente Nacional, na França, valem-se da via parlamentar para dar força às suas reivindicações.

Nem mesmo o Brasil, país mestiço por natureza, está livre dos neonazistas. Em São Paulo e no Sul do país, os skinheads e white powers, grupos que adotam essa ideologia, promovem ataques físicos e verbais contra nordestinos e judeus. De fato, no Brasil de hoje, o discurso racista tomou um vulto nunca visto, dividindo a população e colocando abertamente à vista o ideal da supremacia branca – ou, "mais para branca", posto que somos um país mestiço.

COAUTORES

Embora o nazismo tenha sido sistematizado, defendido e propagando por Adolf Hitler, ele não estava sozinho na concepção das ideias do movimento. Na verdade, Hitler amalgamou uma série de conceitos cuja fusão resultou no nazismo. São teses, crenças e tendências criadas por diferentes teóricos e que acabaram se tornando imensamente populares na Alemanha depois da Primeira Guerra. Os pensadores que criaram essas teorias são, portanto, coautores do ideal que veio a dominar a Alemanha sob Adolf Hitler. Eles eram anteriores a Hitler e à sua teoria de mundo. Foram eles, portanto, que inspiraram o futuro Führer, fornecendo a base teórica necessária à configuração do ideal nazista. Visionários, ressentidos, místicos, frustrados, esses pensadores conseguiram encontrar voz para suas crenças – por mais absurdas que pudessem ser – num líder fanático e obcecado que conduziria inexoravelmente seu país adotivo à ruína.

Guido von List

A figura do austríaco Guido von List (1848 – 1919) corresponde incrivelmente ao seu caráter: excêntrico como sua longa barba e misterioso como os boatos que o envolviam. Fanático pela ascensão germânica, estava certo da superioridade ariana sobre os outros povos. Aos 14 anos, List jurou que construiria um templo a Odin (ou Wotan), o deus nórdico da guerra, da sabedoria e, paradoxalmente, da poesia, em Viena. Ele acabou cumprindo a promessa, erguendo, realmente, uma estátua de Odin naquela cidade. List acreditava – pior que isso, divulgava – que havia uma primeira raça, os "armanos", da qual os povos germânicos descendiam, extremamente inteligente e desenvolvida, cujas capacidades intelectuais estavam mais desenvolvidas que as dos outros povos.

List pode ser considerado um dos primeiros pensadores da corrente místico-racista. Seu pensamento se alastrou através de Phillip Stauff, que pôs em prática as teorias de List na sociedade secreta que fundou, a Ordem Germânica. Foi Stauff quem realmente radicalizou o conceito de raça superior, levando-o ao extremo. Para entrar na Ordem, por exemplo, o candidato tinha de demonstrar sua pureza racial, isto é, que tinha sangue germânico até a terceira geração, sem nenhuma mistura racial. Além disso, o aspirante tinha de deixar que medissem seu ângulo facial, para se assegurar de que sua estrutura craniana era ariana. Depois que o candidato era aprovado, ele passava por uma verdadeira lavagem cerebral. Hitler buscou fazer a mesma coisa através do nazismo. As Escolas Adolf Hitler, a rede de ensino instituída em toda Alemanha após a ascensão de Hitler, onde as crianças, o futuro do Terceiro Reich, eram educadas, eram verdadeiras máquinas de fazer a cabeça.

Jörg Lanz von Liebenfels

Provavelmente, Jörg Lanz von Liebenfels foi uma das personalidades que mais influenciaram Hitler. Liebenfels, cujo nome verdadeiro era Adolf Josef Lanz, pertencera a uma ordem monástica cristã, mas havia sido expulso por conta dos seus "pensamentos impuros". Liebenfels fundou, então, sua própria sociedade iniciática, a Ordem do Novo Templo e fundou a revista *Ostara*, através da qual divulgava sua doutrina. O jovem Hitler era um entusiasmado leitor da *Ostara*, quando ele vivia em Viena. A revista era carregada de antissemitismo e de ideias sobre a superioridade germânica. Liebenfels publicava em sua revista ideias como a de que Cristo era um iniciado ariano que se opôs às forças obscuras representadas pelos sacerdotes judeus. Para Liebenfels, os judeus eram uma raça demoníaca que pretendia destruir a pureza racial do ariano através dos mais diversos meios – até mesmo por meio da caridade. Liebenfels bradava nas páginas da sua revista que esse movimento deveria ser impedido a qualquer custo. A forma de fazer isso, segundo a *Ostara*, era esterilizando os judeus e fazendo-os trabalhar até a morte – literalmente.

Hitler era grande fã das ideias de Liebenfels. Consta que em 1909, o futuro Führer visitou Liebenfels para comprar alguns números atrasados da *Ostara*. Não é à toa que ele empregou criteriosamente as recomendações do ex-monge nos campos de concentração nazistas.

Karl Haushofer

Depois da Primeira Guerra, onde serviu como um dos mais jovens generais do exército alemão, Karl Haushofer (1869 – 1945) tornou-se diretor do Instituto de Geopolítica, onde desenvolveu uma tese que viria a ser nevrálgica na política expansionista nazista. Haushofer afirmava que o espaço geográfico tem uma influência decisiva sobre os Estados e suas políticas. Em outras palavras, a geografia determina a sociedade. Esse conceito foi usado para defender a ideia de que o Estado e o povo alemão atingiram um grau evolutivo superior às outras nações e etnias e, por isso, precisavam ampliar suas fronteiras para poder se desenvolver de acordo com seu potencial. Haushofer foi conselheiro dos nazistas até 1938 e influenciou pessoalmente Hitler a adotar uma política de expansão territorial como algo intrinsecamente ligado à sobrevivência da Alemanha.

Mas não era só como militar e geógrafo que Haushofer se destacava. Ele afirmava ter estudado o budismo zen e tinha sido iniciado por lamas tibetanos. Também sustentava ter contato com sociedades secretas tibetanas que possuíam o segredo do "super-homem" – uma ideia que acabou se tornando central no nazismo. Haushofer era também membro de uma sociedade secreta japonesa, a Ordem do Dragão Verde.

Haushofer foi apresentado a Hitler por Rudolf Hess – um dos mais ortodoxos seguidores do misticismo nazista – e logo se tornou mentor do futuro chanceler, chegando até mesmo a ensinar ocultismo a Hitler e a secretariá-lo quando ele estava escrevendo o *Mein Kampf*, na prisão. De acordo com o biógrafo Pablo Jiménez Cores, numa das vezes que Haushofer visitou Hitler na prisão, ele mostrou ao líder do Partido Nacional-Socialista dos Trabalhadores Alemães um documento peculiar, o Protocolo dos Sábios do Sião. O texto revelava as discussões mantidas durante os encontros dos 62 homens mais poderosos do Congresso Sionista Mundial com o objetivo de impor o domínio e o governo dos judeus sobre os outros povos.

Não bastasse isso tudo, Haushofer exerceu uma influência fundamental sobre o Führer, convencendo-o de que a União Soviética, e não a França, era a inimiga figadal da Alemanha. Como se sabe, a decisão de Hitler de invadir a União Soviética foi desastrosa e lhe custou a possibilidade de vitória. No final da guerra, como era de se esperar de um adepto da cultura japonesa, Haushofer cometeu suicídio ritual.

Rudolf Hess

Chamado por alguns historiadores de neurótico, Rudolf Hess foi uma das pessoas de maior confiança de Hitler, exercendo sobre o Führer uma grande ascendência no começo de sua carreira. Nessa época, Hess estava sempre ao lado de Hitler. Foi seu secretário particular, quando editou o livro *Mein Kampf*. Depois, com a chegada dos nazistas ao poder, em 1933, tornou-se ajudante pessoal do Führer e, finalmente, em 1939, o segundo na linha de sucessão, depois de Göring. Foi Hess quem apresentou Karl Haushofer a Hitler, estabelecendo uma conexão que abalaria a história. Haushofer havia sido professor do secretário de Hitler na Universidade de Munique, onde lecionava geopolítica.

Hess era um dos mais entusiasmados seguidores da corrente esotérica que ficou conhecida como Misticismo Nazista. Não há dúvida de que o interesse de Hess pelo ocultismo contagiou Hitler, conduzindo-o através de um mundo povoado por místicos, médiuns e magos.

Mas com a ascendência de outras figuras sobre Hitler, Hess foi ficando cada vez mais marginalizado, a ponto de realizar um dos feitos mais patéticos da Segunda Guerra. Na verdade, de acordo com o que William L. Shirer escreveu em seu livro *The Rise and Fall of the Third Reich* – Ascensão e Queda do Terceiro Reich (Simon and Schuster, Nova York, 1960), o terceiro homem na linha de sucessão do *Reich* buscava obter uma estrondosa vitória diplomática. Acabou preso. Numa louca tentativa de selar a paz com a Grã-Bretanha, em maio de 1941, Hess pilotou um Messerschmitt Bf 110 sobre a Escócia, onde saltou de paraquedas. Ele pretendia se encontrar com o duque de Hamilton, a quem iria propor um armistício com a Alemanha para que os dois países pudessem, juntos, combater os soviéticos. Mas Hess não tinha nenhuma credencial para negociar. Quando soube da história, Hitler declarou que seu ajudante estava "insano".

Seja como for, a Grã-Bretanha certamente não aceitaria as condições simplórias propostas pelo ajudante de Hitler, isto é, a de que o *Reich* não atacaria nenhum território do Império Britânico e este não se oporia à Alemanha. A resposta foi a detenção de Hess como prisioneiro de guerra. Depois do final do conflito, ele foi condenado à prisão perpétua pelo tribunal de Nuremberg. Morreu na prisão de Spandau, em 1987, aos 93 anos. Era o prisioneiro mais velho de toda Alemanha.

Dietrich Eckart

As últimas palavras de Dietrich Eckart, ao morrer em 1923, aos 55 anos, foram um conselho para os que o cercavam. "Sigam Hitler", disse ele. "Vocês o verão dançar, mas eu fui o compositor da música; dei a ele os meios para se comunicar com eles... minha influência na história será maior do que a de qualquer outro alemão". De fato, Eckart, pleno conhecedor da estratégia da oratória, foi o responsável por treinar Hitler e melhorar sua natural capacidade de comunicação.

Mas a influência de Eckart, um jornalista, escritor e tradutor alcoólatra e viciado em morfina, sobre Hitler também envolveu o ocultismo. Ele havia dedicado grande parte do seu tempo aos estudos das técnicas usadas pelos médiuns e procurou ensiná-las a Hitler para aumentar o poder de persuasão do líder do nazismo.

Rudolf Steiner

Parece incrível incluir o grande pensador austríaco Rudolf Steiner (1861 – 1925) entre as mentes que influenciaram a formação da política de Hitler, mas, de fato, o futuro líder da Alemanha chegou a nutrir uma grande admiração pelo fundador da antroposofia. Steiner, porém, jamais compactuaria com o ideal nazista e suas ações. Sua influência é totalmente involuntária e vem do próprio Hitler.

Os conceitos de Steiner, um renomado filósofo e pedagogo, reunidos na doutrina que chamou de antroposofia, buscavam, sobretudo, atingir o verdadeiro conhecimento da natureza humana. Escritor produtivo, palestrante eloquente, Steiner fundou a Sociedade Antroposófica, o teatro Goetheanum, em homenagem ao grande escritor alemão Goethe (1749 – 1832), a escola Waldorf, que até hoje continua a ser pioneira em termos de pedagogia, e um instituto clínico e terapêutico. Hitler ficou muito impressionado com a visão de Steiner. Mas, na verdade, o nazista distorceu a proposta do filósofo, numa má interpretação absurda.

A obra de Steiner foi tão descontextualizada pelos nazistas que ele mesmo não a reconheceria. Alguns chegaram mesmo a dizer que Steiner era antissemita. Na verdade, o filósofo participava de uma liga contra o antissemitismo. Provavelmente a confusão venha de um livro publicado em 1920 pelo antroposofista Karl Heise, chamado *Entente-Freimaurerei und Weltkrieg* – Maçonaria-Entente e a Primeira Guerra (Forgotten Books, Londres, 2019). O livro era resultado de palestras de Steiner sobre história contemporânea. O próprio fundador da antroposofia financiou sua publicação e escreveu sua introdução. O texto caracterizava a Primeira Guerra como "tempestade punitiva" e declarava que o presidente americano, Wilson, e Lênin eram imbuídos de poderes místicos que se opunham à missão espiritual da Alemanha. O livro fala também de uma conspiração maçônica britânica contra a Alemanha e cita Guido von List. Foi o que bastou para alguns nazistas adotarem esse argumento. No entanto, as gritantes diferenças entre as ideologias de Steiner e de Hitler ficaram logo patentes. Não muito depois de chegarem ao poder, os nazistas fecharam as escolas Waldorf, na Alemanha, e perseguiram os seguidores da antroposofia.

Sol Negro, símbolo usado pelos círculos esotéricos nazistas e neonazistas.

O MISTICISMO NAZISTA

A mente de Hitler conhecia e venerava o poder dos símbolos. Hitler lançava mão desse meio para comover e incitar as massas. Através da linguagem simbólica, o grande ditador fortaleceu a identidade germânica, criando um incrível elo de união. Conforme o escritor Pablo Jiménez Cores, "os símbolos nazistas, antes de tudo, refletiam a mentalidade de impulsores do renascimento da arianidade". Runas, cultura bramânica e maniqueísta imprimiam no nazismo um caráter místico e mitológico. Era uma expressão exacerbada da busca pela glória germânica. Esses símbolos, além de inspirar os princípios do nazismo, visavam despertar o patriotismo e incitar todos a fazer tudo pelo país. Hitler considerava o povo mera "massa de servidores", sem capacidade para decidir ou, muito menos, governar.

"O Führer é profundamente religioso, embora completamente anticristão; ele vê o cristianismo como um sintoma de decadência. E com razão, é uma ramificação da raça judia", escreveu sobre Hitler o chefe da propaganda nazista Joseph Goebbels. De fato, o ditador nazista era tremendamente místico e acreditava ser predestinado. Hitler pensava ter sido incumbido de realizar uma missão divina, conduzindo a Alemanha a ocupar seu verdadeiro lugar na história.

A maior parte do misticismo nazista deriva da crença de Hitler em sua missão e na da Alemanha. Essa crença acabou gerando um culto, o "Misticismo Nazista". Trata-se de uma subcorrente do regime nazista, que, além do elemento político, traz instâncias de ocultismo, esoterismo, cripto-história e paranormalidade. Era uma seita difundida no alto escalão do partido e seguida por nomes importantes como Rudolf Hess e Heinrich Himmler. Tratava-se da justificativa mística necessária para selar o destino do povo ariano e do Terceiro Reich – alçados aos píncaros da glória por Adolf Hitler. Por essas e por outras, a figura do grande ditador era revestida de uma importância religiosa. Hitler era visto praticamente como um semideus pelos adeptos do misticismo nazista. A seita seguia, entre outros preceitos, a ariosofia, isto é, a sabedoria oculta dos arianos.

A influência das sociedades secretas e de seu funcionamento se reflete na organização do núcleo nazista. A temível SS, composta dos oficiais da elite nazista, funcionava como uma sociedade secreta, com iniciações e transmissão de ensinamentos e símbolos. Era estruturada nos moldes da ariosofia. Seu próprio estandarte reflete isso. Deriva de um dos principais elementos da tradição ariana: as runas.

O Misticismo Nazista funcionou durante a guerra e contou com importantes figuras do partido em suas fileiras. Não só Hitler, mas oficiais da elite nazista, como, Heinrich Himmler, Rudolf Hess e Richard Walther Darré acreditavam em ocultismo e paranormalidade – e buscavam se deixar guiar por eles. A crença que Hitler nutria sobre si mesmo – um ser imbuído de uma missão "especial" – se deve a uma experiência mística que tivera durante a Primeira Guerra. O chanceler da Alemanha contava que estava numa trincheira lotada, quando ouviu uma "voz" que o avisava para sair dali. E foi exatamente o que Hitler fez, momentos antes de o abrigo ser atingido por uma bomba.

As principais influências do Misticismo Nazista, moldado pelas autoridades do partido próximas do Führer, eram certas tendências filosóficas que corroboravam o futuro brilhante da Alemanha e da raça ariana conforme profetizado por Hitler. As mais proeminentes entre essas ideias são a teozoologia, a ariosofia e armanismo.

Teozoologia

Em 1905, Lanz von Liebenfels surgiu com uma ideia, no mínimo, estranha, mesmo entre as diversas teorias que grassavam na época, para confirmar a superioridade da raça branca. A tese de von Liebenfels, publicada num livro pomposamente intitulado Teo-zoologia ou a História dos Descendentes dos Macacos-Sodom e os Elétrons dos Deuses, afirma que os povos arianos descendem de divindades estelares que se alimentavam de eletricidade, enquanto as raças "inferiores" resultavam do cruzamento entre macacos e humanos. Para manter a pureza dos arianos, von Liebenfels antecipa Hitler em quase quatro décadas, defendendo a esterilização dos homens de raça "inferior". A ideia foi, como se sabe, adotada pelos nazistas.

Ariosofia

Outro fruto da mente de Lanz von Liebenfels, o termo ariosofia descreve o conhecimento oculto dos povos arianos, suas mágicas e rituais.

Armanismo

Trata-se da doutrina criada por Guido von List, baseada em doutrinas esotéricas e na gnose. O termo deriva de Armanen, possivelmente os herdeiros do deus-sol, uma classe de reis-sacerdotes da antiga nação ario-germânica.

Hitlerismo Esotérico

Mas se as teorias que se amalgamaram para formar o misticismo nazista – baseado na superioridade da raça ariana "extraterrestre" sobre as demais – puderam encontrar respaldo para crescer e aparecer numa Alemanha derrotada e humilhada, nada justificaria a continuidade dessas ideias depois da Segunda Guerra. De fato, não só o uso dos símbolos nazistas, mas sua ideologia e as teorias que a sustentavam foram proibidas na Alemanha já em 1945. Mas, por incrível que possa parecer, elas ressurgiram depois com as novas – e delirantes – roupagens do que veio a se chamar Hitlerismo Esotérico.

A primeira grande expoente do Hitlerismo Esotérico depois da guerra foi a indiana Savitri Devi. Em seu livro *Hitlerian Esotericism and the Tradition* – Hitlerismo Esotérico e a Tradição (trechos disponíveis em https://www.counter-currents.com/2013/09/hitlerian-esotericism-the-tradition/), ela faz uma ponte entre a ideologia ariana de Hitler e a dos indianos que lutavam pela sua independência. A suástica seria o símbolo de união entre os hindus (cuja sociedade foi, de fato, fundada pelos arianos) e os alemães. Para Devi, Hitler era um avatar, isto é, uma encarnação do deus Vishnu que buscava levar o povo ariano – o que incluía os hindus – de volta à glória do passado.

Mas, se as ideias de Devi soam um tanto exageradas, ela foi superada de longe pelas do diplomata chileno Miguel Serrano, outra figura proeminente do Hitlerismo Esotérico. Em seus livros *The Golden Cord-Esoteric Hitlerism (disponível em https://joachimpeiperss.files.wordpress.com/2016/09/serrano_miguel_-_the_golden_cord.pdf)* e *Adolf Hitler, the Ultimate Avatar* – A Faixa Dourada – Hitlerismo Esotérico e Adolf Hitler o Último Avatar (Hermitage Helm Corpus, 2014) ele desenvolve as ideias de Devi e as leva a um outro patamar. Segundo Serrano, Hitler não morreu após a Segunda Guerra, mas foi para Shambala, um lugar paradisíaco da mitologia tibetana. Shambala, que já foi localizada no Polo Norte e no Tibete, seria, hoje, um centro subterrâneo na Antártica, que conta, inclusive, com uma cidade de cerca de dois milhões de habitantes, Nova Berlim. Lá, Hitler está em permanente contato com os deuses hiperbóreos – um povo obscuro mencionado na Mitologia Grega e identificado por alguns como "os celtas". Não bastasse isso, Serrano afirma que Hitler reaparecerá algum dia comandando uma frota de discos voadores e conduzirá as forças da luz, isto é, os hiperbóreos, contra as forças da escuridão – comandadas, é claro, pelos judeus. A vitória de Hitler determinará a fundação do Quarto Reich e um período de prosperidade para todos... os arianos.

Sociedades Secretas

Importantes membros da cúpula nazista adotaram e divulgaram ativamente as teses pró-arianas, chegando até mesmo a realizar expedições arqueológicas e experiências científicas para comprová-las. Muitos desses homens participavam de sociedades secretas que vieram a ter um impacto direto sobre o nazismo e suas ações. Talvez o próprio Hitler fosse membro de alguma delas.

Sociedade Vril

Há muita névoa em torno da Sociedade Vril. Muitos dizem que a organização sequer existiu. No entanto, diversos historiadores afirmam não só terem demonstrado a existência da Sociedade Vril, como sua influência sobre o jovem Hitler, quando ele ainda vagava sem rumo pelas ruas de Viena e de Berlim. De acordo com o historiador Michael Fitzgerald, Hitler foi membro dessa sociedade, fundada pelo general Karl Haushofer, professor e diretor do Instituto de Geopolítica de Munique e estudioso do místico armênio George Gurdjieff. Mais que isso, Fitzgerald sustenta que o papel que a Sociedade Vril representou na concepção das ideias de Hitler sobre o destino da Alemanha e do povo ariano foi fundamental.

Sociedade Thule

A Sociedade Thule contava com diversos dos seus membros no partido nazista. Embora Hitler nunca tenha sido membro desse grupo, a Sociedade certamente teve grande ascensão sobre ele. Seu fundador, Rudolf Glauer, também conhecido como Rudolf Freiherr von Sebottendorf, era, como bem cabe nessa circunstância, um homem misterioso. Voltara à Alemanha em 1915, depois de uma temporada no Oriente, onde aprendera meditação sufista e astrologia, com um passaporte turco. Homem rico, nunca ninguém soube a fonte da sua fortuna. Em 1918, fundou a Sociedade Thule. Foi um membro da Sociedade, o dentista Friedrich Krohn, que colaborou com Hitler na escolha da suástica como símbolo do partido nazista.

Ahnenerbe

A Sociedade Ahnenerbe (herança ancestral) era um braço da SS – um verdadeiro Arquivo X nazista – dedicado a realizar pesquisas que comprovassem a superioridade ariana. Também aqui a ideia do oculto e misterioso estava contida. Fundada em 1933 por Friedrich Gilscher, a sociedade promoveu expedições para encontrar a Atlântida, a Lança do Destino e o Santo Graal. Uma dessas expedições, liderada por Ernst Schäfer, foi enviada ao Tibete em busca das origens da raça ariana; outra foi enviada aos Andes com a mesma finalidade.

A procura do Santo Graal e da Lança do Destino visavam amealhar poder sobrenatural para o Terceiro Reich, tornando os alemães invencíveis. Essas expedições declinaram com o início da guerra, mas a Ahnenerbe estava longe de diminuir suas ações.

Um artigo publicado em 2002 no jornal russo Pravda sustenta que a Ahnenerbe foi o serviço mais secreto do Terceiro Reich e que a sociedade se dedicou a ações mais macabras do que simplesmente organizar expedições em busca da origem dos arianos em terras distantes. Túmulos descobertos por acaso no sul da Ucrânia revelaram esqueletos de soldados alemães, alguns deles com os crânios trepanados, outros com as colunas vertebrais serradas, outros, ainda, com as frontes cheias de buracos como se os executores estivessem, de acordo com o jornal, "procurando um terceiro olho".

Segundo especialistas, o túmulo coletivo continha vestígios das atividades da Sociedade Ahnenerbe, experiências feitas pelos médicos nazistas com membros da raça ariana para tentar produzir uma nova raça de super-homens. Essas atividades macabras aumentaram durante a guerra, especialmente por conta do material humano disponível nos campos de concentração, principalmente Dachau e Auschwitz, onde o médico Joseph Mengele impunha seu reino de terror. Em Dachau, Wolfram Sievers criou o infame Instituto de Medicina Aeronáutica. O instituto sob direção de Sievers realizou experiências de uma crueldade difícil de se imaginar. Para se determinar a tolerância de um ser humano com relação à altitude, matava-se prisioneiros de diferentes pesos e alturas, submetendo-os a lentas e constantes quedas de temperatura e os colocando em câmaras de descompressão. Sievers também se especializou em técnicas de reanimação dos infelizes que tinham sobrevivido ao congelamento nas suas experiências. Normalmente, ele tinha sucesso com banhos quentes, mas a pedido de Himmler, o poderoso diretor da Sociedade Ahnenerbe, ele testou outras técnicas. Uma delas consistia em fazer uma cobaia humana, à beira da morte por conta de ter sido submetida ao frio intenso, ser abraçada por duas prisioneiras nuas, na tentativa de se evitar o congelamento.

Outro objetivo da Sociedade era descobrir uma droga psicotrópica que permitisse aos nazistas controlar a mente humana. Ao que parece, a ideia é boa em termos militares. O exército americano buscou desenvolver o mesmo conceito para usar como arma e acabou testando o LSD.

Mestres do Pêndulo Sideral

Os métodos empregados pela inteligência nazista incluíam práticas pouco ortodoxas – e repletas de mistérios do ocultismo. Um episódio bem conhecido da Segunda Guerra foi o dramático resgate de Mussolini pelos alemães, quando este foi preso, depois de ser tirado do poder em 1943. Para descobrir o local da prisão, os nazistas empregaram um "mestre do pêndulo sideral", conforme descreve o escritor Peter Levenda no seu livro *Unholy Alliance* – Aliança Ímpia – (Avon Books, Nova York, 1995). Ninguém sabia onde o "Duce" estava, mas o tal "mestre do pêndulo sideral" o localizou corretamente na ilha de Ponza, próxima de Nápoles. E tudo o que ele precisou foi de "uma refeição decente, algumas bebidas, um bom cigarro e um pêndulo balançando sobre o mapa da Itália", observa Levenda em seu livro. O autor não revela, porém, a identidade desse "mestre do pêndulo sideral". Alguns estudiosos especulam que o "mestre" pode ter sido um dos amigos mais íntimos de Hitler, o dr. Wilhelm Gutberlet, mas Wilhelm Wulff, o astrólogo pessoal de Himmler e outro dos místicos empregados pelo Terceiro Reich, clama para si o feito. No seu livro *Zodiac and Swastika* – Zodíaco e Suástica – (Arthur Barker Limited, Londres, 1973) ele revela que uma das suas principais tarefas, depois que foi preso pelos nazistas, foi localizar o local onde Mussolini estava aprisionado. Wulff afirma ter dado a localização correta – a mesma ilha de Ponza.

São conhecidos pelo menos dezenove mestres do pêndulo empregados pelo Terceiro Reich. Sabe-se com certeza que o arquiteto Ludwig Straniak (1879 -1951) trabalhou para o exército alemão, localizando posições inimigas e outros alvos através do pêndulo. Conta-se que Straniak foi testado pela marinha. Ele tinha de localizar a posição do navio de guerra Prinz Eugen, em missão secreta em algum dos sete mares do planeta. A marinha forneceu a Straniak cartas navais, e Straniak localizou corretamente o navio na costa da Noruega.

São Hitler

É difícil imaginar Hitler como um santo, um homem bom e preocupado com o bem-estar das pessoas. No entanto, era assim que ele era visto na Alemanha até o começo da Segunda Guerra. Hitler era comparado a Jesus pelos alemães, um enviado de Deus que vinha "salvar" a Alemanha e guiá-la ao seu verdadeiro lugar na hierarquia global – o de líder. A convicção nutrida por uma bem azeitada máquina de propaganda era tanta que, nos orfanatos alemães, costumava-se rezar a Oração de Hitler:

Führer, mein Führer, (Líder, meu Líder)

Enviado a mim por Deus, protegei-me e sustentai minha vida por muito tempo.

Vós salvastes a Alemanha da mais profunda miséria, a vós devo o pão de cada dia.

Führer, mein Führer, (Líder, meu Líder), minha crença, minha luz,

Führer, mein Führer, (Líder, meu Líder), não me abandoneis jamais.

Insígnia da cabeça da morte da SS.

SÍMBOLOS NAZISTAS

Hitler tinha plena consciência do poder dos símbolos sobre as massas. A identificação do povo com os ícones que representam sua terra, seu passado e seu ideal não pode ser posta de lado por alguém que pretende levar a população de seu país a uma guerra de conquista. Hitler revestiu os ideais nazistas de poderosa simbologia, bandeiras flamejantes, baionetas e capacetes reluzentes, uniformes intimidadores e todo um arsenal capaz de cativar os corações e as mentes de pessoas confusas e com pouco discernimento. De fato, os símbolos nazistas marcam, mais do que qualquer grafismo, a Segunda Guerra Mundial.

Além de terem sido guerreiros ferozes e de terem ficado famosos pelos seus atos de barbárie, os povos nórdicos, dos quais os alemães descendem, eram tremendamente místicos, sempre considerando e respeitando os desígnios dos deuses. Qualquer coincidência com o regime perpetrado por Adolf Hitler não é mero acaso. O ditador refletia e adotava os costumes dos antigos germânicos, e o uso das runas – as quais somente os iniciados tinham acesso – foi uma marca patente desse revival do arianismo. E para conhecer os desejos e as tramas dos imortais, nada melhor do que usar um método criado pelos seus ancestrais, um oráculo que os sacerdotes e feiticeiros nórdicos lançavam mão: as runas. Trata-se de um tipo de alfabeto, cujas letras também são símbolos mágicos.

Runas

Cada letra tem um nome significativo e um som respectivo. As runas foram empregadas na poesia, em inscrições e como oráculo. Cada runa é vinculada a um deus celeste, como o Sol e a Lua. Como os nórdicos acreditavam que elas tinham poderes sobrenaturais, as runas eram gravadas nas armas dos seus guerreiros, em pedras comemorativas e em monumentos funerários. Dessa forma, elas ofereciam proteção. Mas as runas eram também usadas para evocar a vingança e para predizer o futuro. Os símbolos mágicos eram inscritos em pedra, madeira ou couro e usados pelos xamãs nórdicos em feitiços e para acessar o mundo sobrenatural. As runas evocam, também, os ciclos do homem. Através delas, o runemal, aquele que lia as runas, tinha um eficiente sistema de autoconhecimento.

Esse oráculo é muito antigo. O historiador grego Heródoto, ao viajar pelo Mar Negro, encontrou xamãs que "se enfiavam debaixo de cobertores, fumavam até ficar em uma espécie de transe e então lançavam gravetos no ar, 'lendo' seu significado quando caíam no chão". Para o pesquisador Ralph Blum, autor de *O Livro de Runas (Bertrand Brasil, São Paulo, 1993)*, "esses gravetos eram, provavelmente, uma forma primitiva de runas".

Mas a arte do runemal, a interpretação das runas, se perdeu no tempo. Embora esse conhecimento secreto fosse passado através de iniciação pelos mestres rúnicos do passado, seus segredos não foram registrados e, se foram, não chegaram até nós. Os últimos runemals foram mestres islandeses que viveram no final da Idade Média. A sabedoria dos mestres rúnicos morreu com eles, e nada permaneceu, além das sagas, a requintada literatura desenvolvida pelos bardos, ou poetas, nórdicos. Hoje, embora muitos consultores espirituais usem runas, seu método de leitura não tem nada a ver com aquele dos antigos runemals.

Provavelmente, o grafismo rúnico mais conhecido é justamente o símbolo da SS, a elite nazista. O símbolo é baseado na runa sig, associada ao Sol, à vitória e à madeira de freixo, da qual se cortavam os arcos dos guerreiros. Essa runa é uma marca notória da preocupação nazista de usar letras rúnicas como símbolos arianos.

No entanto, o mais famoso símbolo nazista, a suástica, não tem uma origem exclusivamente ariana, mas universal.

A Suástica

A suástica, o mais notório símbolo do nazismo, evoca inevitavelmente imagens de guerra, caos, destruição, Holocausto e intolerância. No entanto, a suástica foi, durante milhares de anos, até Hitler lançar mão dela, um símbolo de boa sorte, conhecido em toda Europa, Ásia e até pelos índios norte-americanos. Costumava-se dizer que as pegadas do Buda eram suásticas. Cobertores dos índios navajos eram tecidos com suásticas e sinagogas no Norte da África e na Palestina foram decoradas com mosaicos de suásticas.

As mais antigas suásticas conhecidas datam de 2.500 ou 3.000 a.C. na Índia e na Ásia Central. No norte da Europa ela apareceu no primeiro milênio a.C.

O nome suástica vem da palavra em sânscrito svastika, que significa bem-estar e boa fortuna. No entanto, vários autores atribuem a ela diferentes significados: da imagem do deus supremo ao símbolo solar; da representação do raio e da água ao símbolo do fogo e da união do princípio masculino e feminino. De fato, o significado da suástica parece variar com o tempo e o lugar, as associações com outros elementos e os diferentes objetos em que surge representada. Em uma antiga lápide cristã, por exemplo, a suástica aparece em destaque e com maiores dimensões que o crísmon, ou Chi Rho, o monograma de Cristo –, sugerindo uma importância maior. Talvez isso tenha a ver com o fato de a suástica já ter sido usada como símbolo do coração do próprio Jesus, o que, neste caso, o representaria.

Mas como foi que um símbolo de tão bons desígnios se tornou sinônimo da cega barbárie de um regime intransigente? Segundo Steven Heller, diretor de arte do *The New York Times Book Review* e autor de *The Swastika: Symbol Beyond Redemption* – A Suástica: Símbolo Além da Redenção – (Allworth Press, Nova York, 2000), tudo começou em 1914, quando o Wandervogel, um movimento juvenil alemão, a transformou em seu emblema nacionalista. Em 1920, o Partido Nazista a adotou. No seu livro *Mein Kampf*, Hitler descreveu seu "esforço para encontrar o símbolo perfeito para o partido". Foi quando teve a ideia de usar as suásticas. Mas foi o dentista Friedrich Krohn quem desenhou a bandeira com a suástica no centro. "A maior contribuição de Hitler", pensa Heller, "foi inverter a direção da suástica" para que ela parecesse girar no sentido horário. Isso levou muitos a afirmarem que Hitler era um "feiticeiro negro", uma vez que estes costumam usar símbolos religiosos invertidos nas suas práticas mágicas.

Em 1946, a exibição pública da suástica nazista foi proibida constitucionalmente na Alemanha.

Mesmo tendo sido proibido em 1945, o Misticismo Nazista rendeu frutos também depois do fim do conflito, ressurgindo com teorias mirabolantes. A mais delirante delas até mesmo coloca Hitler como comandante de uma frota de UFOs tripulada por répteis semi-humanos.

A VIDA NO TERCEIRO REICH

Alunos e professor fazem saudação nazista numa escola pública alemã (anos 1930).

O Terceiro Reich, o Império Germânico estabelecido por Hitler e pelos nazistas, é quase sempre visto como a ditadura de Hitler. Praticamente toda a propaganda estava centrada no Führer, uma vez que sua popularidade sempre foi maior do que a do seu partido, que a do exército ou que a de qualquer outra figura pública ou instituição. Como o partido nazista havia sido fundado sobre um rígido "princípio de liderança", isto é, de absoluta obediência ao líder, a posição de Hitler era intocada. E desde o início, o regime buscou estender essa obediência cega ao exército, ao poder judiciário, ao serviço público e a todas as esferas tanto da vida pública como da privada. O Führer era sempre a maior referência.

Alguns historiadores, porém, argumentam que um homem não conseguiria fazer tanto sozinho. Então, como funcionava o Terceiro Reich? Sem dúvida, Hitler era a principal engrenagem dessa máquina. O Terceiro Reich era constituído de quatro blocos de poder que funcionavam mais ou menos independentemente uns dos outros. Mais ainda, eram forças concorrentes, competindo entre si. Havia o partido nazista com todas as suas organizações, como a SS, havia o aparato do Estado, o setor econômico e o Exército. O cientista político alemão Karl Bracher, um dos maiores estudiosos do nazismo, sustenta que Hitler obteve seu poder por causa das disputas entre as instituições do Estado e o partido. Hitler era um mediador, uma figura que tramitava em todas as esferas rivais de poder e mantinha o Terceiro Reich funcionando. Oficiais do Exército, membros do partido nazista, do funcionalismo público, empresários e industriais competiam entre si para conquistar o apoio de Hitler com relação às medidas que propunham. Como os britânicos na Índia, Hitler "dividia para governar".

Em termos constitucionais, o Terceiro Reich era igualmente vago. Apesar de a Constituição de Weimar – a magna carta que pautou a República de Weimar (1919 – 1933), constituída depois da derrota alemã na Primeira Guerra – ter continuado em vigor, era ignorada quase que inteiramente. A vontade do Führer, o novo Kaiser, era a lei mais forte. De fato, ao longo do Terceiro Reich, o controle de Hitler sobre as Forças Armadas e a economia aumentou. A SS, a máquina repressora que fazia valer as ordens de Hitler, assumiu controle cada vez maior sobre o aparato do Estado.

Outra importante instituição do Terceiro Reich foram as Igrejas. Nos 12 anos do *Reich*, elas não foram perturbadas pelos nazistas. Na verdade, durante a guerra, as Igrejas foram usadas como um fator a levantar a moral dos alemães. Dessa forma, puderam manter alguma autonomia, uma vez que não combatiam o regime.

O Dia a Dia no Terceiro Reich

De modo geral, a maior parte dos alemães não percebia o regime de Hitler como uma ditadura repressiva. Os alemães que não se importavam muito com política ou mesmo aqueles que não gostavam dos nazistas podiam levar suas vidas de um jeito mais ou menos normal, até durante a guerra, desde que não fossem, claro, judeus ou comunistas.

O regime nazista buscou agradar os trabalhadores que ganhavam mal e trabalhavam muito com programas educacionais e de lazer. O partido procurava assegurar a lealdade do povo através da propaganda. Com essa poderosa arma, os nazistas instilaram nos trabalhadores um senso de orgulho social. Eram considerados heróis em seus locais de trabalho, proclamados como um dos pilares do Terceiro Reich. Os programas de lazer davam aos trabalhadores oportunidades de viajar. Sob os auspícios de Hitler, eles podiam passar as férias na Itália, na Escandinávia ou na própria Alemanha. Além disso, o Führer também prometeu um carro popular a cada trabalhador. O Volkswagen, que quer dizer justamente "carro do povo", deveria custar 999 marcos. Sem dúvida, foi o maior sucesso de Hitler não só na Alemanha, mas em todo o mundo.

O Führer também prometeu casas individuais com um pequeno pedaço de terra para os trabalhadores. Na verdade, era uma tentativa de descentralizar os operários. Estando todos morando numa mesma área, podiam se mobilizar e tramar contra o regime. As organizações nazistas também ofereciam aos trabalhadores oportunidades para melhorar sua educação e posição social.

O Carro do Povo

A criação do automóvel *Volkswagen* tem relação direta com esse esforço de agradar a classe trabalhadora por parte de Hitler. Com efeito, o Fusca, o carro mais popular de todos os tempos, nasceu de uma exigência de Adolf Hitler. Em 1934, um ano depois de chegar ao poder na Alemanha, Hitler imaginou um "carro do povo", inspirado no sucesso que já fazia o Ford T na época.

Durante o seu discurso de abertura do Auto Show de Berlim daquele ano, o ditador declarou que considerava o desenho e a construção do carro do povo uma medida prioritária para a indústria automobilística alemã. Mais tarde, ele acrescentou que esse veículo deveria ter velocidade máxima de 100 km/h; ser capaz de enfrentar subidas com até 30º de elevação; consumir no máximo 7 litros a cada 100 km, uma vez que o combustível era caro (o povo não poderia gastar mais de 3 marcos a cada 100 km); ter espaço para no mínimo quatro pessoas; custar no máximo 1.000 marcos imperiais e, principalmente, ser refrigerado a ar, porque nem todas as casas alemãs possuíam garagem, e, no inverno, a água no radiador congelaria. Hitler designou o projetista Ferdinand Porsche para desenvolver o carro ideal. O resto é uma história de muito sucesso.

A guerra acabou invertendo as prioridades. Poucos alemães conseguiram seu *Volkswagen* ou sua casa durante o Terceiro Reich. Mesmo assim, as políticas sociais do regime foram bem-sucedidas. Muitos trabalhadores achavam que os nazistas tinham feito bastante por eles. Organizações do partido, como a SS, ofereciam carreiras promissoras e astronômicas a muita gente com pouco estudo ou dinheiro. Alguns historiadores chegam a falar de uma "revolução social" promovida pelo Terceiro Reich.

Os trabalhadores rurais também recebiam atenção especial. O regime de Hitler bajulava os camponeses e fazendeiros, afirmando que ocupariam um papel central no futuro Estado ariano. A ideologia nazista pregava que o trabalho agrícola era saudável para a constituição da raça e que representava o futuro. Embora fascinados pela tecnologia moderna, os nazistas desejavam criar um Estado predominantemente agrícola, baseado na relação "raça e solo".

O sucesso de organizações como a Juventude de Hitler e da sua versão para meninas, a *Bund Deutscher Mädel*, também foi decisiva na conquista da lealdade ideológica entre os jovens. As sociedades femininas e vários outros clubes promovidos pelo Partido Nazista buscavam organizar o povo alemão de acordo com sua ideologia.

Mulheres

Como diversos aspectos do regime, as políticas nazistas para a mulher eram contraditórias. Em termos de ideal, as mulheres deveriam cuidar do lar e – em especial – ter tantos filhos quanto possível. As mães com quatro ou mais filhos recebiam medalhas e honras semelhantes às dos veteranos de guerra. Seu papel como genitoras de crianças de raça superior era essencial. As organizações nazistas para mulheres e meninas instilavam nelas um sentido de missão e de importância enquanto progenitoras de soldados.

Por outro lado, por conta de seu papel como "rainha do lar" muitas mulheres profissionalmente ativas eram pressionadas no sentido de deixar seus trabalhos. Os empregos que exigiam educação ou conhecimento ficaram praticamente todos nas mãos dos homens. Essa orientação, porém, não era impopular entre as mulheres, pois seu status como mães foi valorizado e estimulado.

No entanto, com a evolução do Terceiro Reich, essas políticas reacionárias entraram em conflito com as necessidades de uma economia voltada para o rearmamento. Por volta de 1938, havia falta de trabalhadores na Alemanha, e, então, as mulheres passaram a ser estimuladas a engrossar a força de trabalho do país. Em 1939, quase metade das mulheres com idade para trabalhar estavam empregadas. Durante a guerra, apesar de os nazistas usarem trabalho escravo para tocar suas indústrias, o número de mulheres empregadas aumentou ainda mais. Com a elevação do status e sua participação na força de trabalho, as mulheres do Terceiro Reich puderam gozar uma maior liberdade e independência que suas mães e avós.

Oposição

Durante o Terceiro Reich, o regime nazista permaneceu estável. O terror e a manipulação da opinião pública combinados ao apoio popular ao regime e, especialmente, à figura de Hitler garantiram essa estabilidade. A máquina de terror da Gestapo, a polícia secreta de Hitler, e a popularidade do regime não deixaram muito espaço para a oposição. Muitos acreditavam que não havia alternativa ao regime nazista, pois temiam ser dominados pela União Soviética. A lembrança de ameaça de guerra civil depois da Primeira Guerra também dava a impressão de que a ordem reinava no Terceiro Reich.

Apesar disso, havia, sim, oposição ao regime de Hitler. Manter um filho fora da Juventude de Hitler ou não deixar a filha participar da *Bund Deutscher Mädel* era uma forma de resistência. Outros, mais inconformados, arriscavam suas vidas para se opor ao nazismo. Os comunistas organizaram uma resistência, embora enfrentando dificuldades extremas. Durante os 12 anos que duraram o Terceiro Reich, cerca de vinte mil comunistas foram assassinados pela Gestapo. Milhares de alemães étnicos foram mortos ou mandados para campos de concentração por atos de desafio como esconder judeus, ouvir uma estação de rádio estrangeira, duvidar que a Alemanha venceria a guerra, fazer piadas sobre o regime ou pichar um muro com declarações contrárias ao nazismo.

Mesmo apesar da dura repressão, algumas pessoas promoveram ações radicais. Georg Elser, um artesão do sul da Alemanha, tentou matar Hitler em novembro de 1939. Elser foi preso e enviado ao campo de concentração de Dachau. Em 1945, quando as tropas aliadas estavam se aproximando de Dachau e a derrota alemã era certa, o vingativo Hitler ordenou a execução de Elser sem julgamento. Tinha 42 anos. Outra pessoa notável a se opor individualmente ao Terceiro Reich foi o padre católico Bernhard Lichtenberg, que rezava pelos judeus na sua igreja, em Berlim. A rebeldia de Lichtenberg foi punida, e ele acabou preso em 1942 e enviado para um campo de concentração, onde morreu em 1943. Lichtenberg não foi o único religioso a combater Hitler. Ainda que as Igrejas da Alemanha não tenham se oposto ao nazismo, muitos de seus membros o fizeram. Grupos de resistência, como o Bekennende Kirche, surgiram em oposição à Igreja Protestante oficial.

Mesmo entre os militares, muitos se opunham a Hitler. De fato, o círculo de resistência do exército era o mais poderoso centro de oposição. Muitos desses oficiais dispostos a derrubar Hitler haviam cooperado com o regime ao longo de toda a guerra, mas quando a derrota da Alemanha ficou clara, já em 1943, perceberam que sua única saída honrosa era deter o ditador.

Em março de 1943, o general Henning von Tresckow, plantou duas bombas no avião que levaria Hitler de volta a Berlim depois de uma visita ao front oriental. No entanto, os artefatos, escondidos em garrafas de conhaque, não explodiram. O plano acabou não sendo descoberto, e von Tresckow pôde conceber diversos outros estratagemas para matar o Führer. Como se sabe, nenhum deu certo.

A tentativa que chegou mais perto do sucesso aconteceu em 20 de março de 1944. Durante uma reunião, o conde Claus Stauffenberg, um alto oficial com acesso direto a Hitler, conseguiu deixar uma bomba escondida numa maleta ao lado do ditador. Stauffenberg saiu da sala minutos antes de a bomba explodir. Entretanto, num golpe de sorte inacreditável, Hitler sobreviveu. Stauffenberg, por sua vez, foi executado na mesma noite.

Guerrilheiros republicanos em batalha durante a Guerra Civil Espanhola (c.1937).

A GUERRA CIVIL ESPANHOLA

No período entre as duas grandes guerras mundiais, quando o nazismo galgava o poder na Alemanha, novas forças políticas começavam a se configurar e a competir umas com as outras para se afirmarem. Na Europa, regimes ascendiam ao poder e continuariam a exercer pressão política até a deflagração da Segunda Guerra. Na Rússia, os comunistas expandiam o marxismo-leninismo aos países que vieram a formar a União das Repúblicas Socialistas Soviéticas. Na Itália, Mussolini instaurava o fascismo e na Alemanha Hitler impunha o nazismo. Nesse cenário, a Espanha se lançou num conflito intestino bárbaro, quando militares alinhados à doutrina fascista deram um golpe para derrubar o governo. A tentativa de tomar o poder malogrou e precipitou o país numa guerra civil que durou três anos e ceifou a vida de mais de 250 mil pessoas. Hitler apoiou incondicionalmente os nacionalistas liderados por Francisco Franco, fornecendo armas, inteligência militar e até mesmo envolvendo a Alemanha nazista em ações diretas, como o bombardeio à cidade de Guernica realizado pela Legião Condor, composta por oficiais nazistas, em

26 de abril de 1937. O ataque nazista serviu para testar os aviões alemães e para treinar os pilotos – um claro prenúncio do que Hitler planejava.

Temendo as reformas que o governo republicano propunha, em julho de 1936, um grupo de generais de direita liderados por Francisco Franco (1892 – 1975) se levantou, declarando-se autoridade em vigor na Espanha. Os estratos superiores da sociedade aderiram: grandes proprietários, o clero católico, a maioria dos financistas e industriais do país, os fascistas e os carlistas – um grupo monarquista – ficaram do lado de Franco. Os militares rebeldes controlavam as melhores unidades do exército espanhol e contavam com importante apoio internacional. A Itália de Mussolini, a Alemanha de Hitler, bem como o Portugal do ditador Antônio Salazar forneceram apoio em tropas, equipamentos e armas à causa de Franco.

Mas a oposição aos militares rebeldes promovida pelos republicanos foi ferrenha. Mesmo dentro das Forças Armadas e da Polícia, muitos permaneceram leais ao governo eleito legitimamente. A eles se aliaram milícias comunistas, anarquistas e, ao longo da guerra, estrangeiros de todo o mundo que foram à Espanha combater o fascismo. Os bascos e catalães, apesar da tendência separatista, uniram-se ao governo contra os militares. Essas diversas forças independentes formavam colunas, ou brigadas, cada qual com seu nome e sua inspiração, que vieram a caracterizar a resistência espanhola.

Em agosto de 1936, Franco foi derrotado em Madri e Barcelona. O País Basco e outras regiões da Costa Norte também resistiram aos fascistas. No entanto, os nacionalistas, como os homens de Franco eram chamados, tinham o apoio de grande parte do Norte e da região Sul da Espanha. E não tardaram a receber reforços.

Unidades do Exército da África, uma força especial formada pela Legião Estrangeira Espanhola e por soldados marroquinos, uniram-se a Franco. A velocidade com que as tropas foram transportadas do Marrocos ao Sul da Espanha foi garantida por vasos de guerra e aviões italianos e alemães. Além dos reforços, os nacionalistas eram mais bem organizados.

O governo republicano e seus aliados também receberam ajuda do exterior, embora de forma menos efetiva que seus inimigos. O México forneceu rifles, mas o maior apoio veio da Rússia soviética. Os tanques e aviões fornecidos por Moscou ajudaram os governistas a manter Madri por quase todo o conflito.

A execução de prisioneiros pelos dois lados marcou a barbárie da guerra civil. Quando aldeias e vilarejos eram tomados por tropas de um ou de outro lado, a população dividida ajudava a executar seus vizinhos, fregueses, fornecedores – gente com quem conviviam todos os dias.

Em 1937, os italianos entraram no conflito, combatendo ao lado de Franco. Apesar de tomarem a cidade de Málaga, Mussolini sofreu pesada derrota em Guadalajara. Curiosamente, entre as forças republicanas que bateram os soldados de Mussolini estava o Batalhão Garibaldi, formado por italianos antifascistas. Nesse mesmo ano, Hitler também aumentou a participação dos nazistas na Guerra Civil, enviando a Legião Condor. Tanques, aviões, peças de artilharia e equipamento de comunicação e pessoal treinado para operá-los eram uma oportunidade para Hitler testar as novas armas e táticas desenvolvidas pelos alemães.

O conflito pendia a favor de Franco. Os nacionalistas tinham mais poder de fogo que seus inimigos. Os republicanos, por outro lado, estavam isolados. Sem receber apoio ou suprimentos, acabaram se esgotando. A tomada de Bilbao, em junho de 1937, destruiu as forças republicanas no Norte e assegurou os recursos dessa importante área industrial para os nacionalistas. A Catalunha também não tardou a cair. Em 1938, os governistas foram perdendo cada vez mais território. Em janeiro de 1939, Barcelona caiu nas mãos de Franco. Em Madri, embora alguns republicanos ainda tencionassem continuar a lutar, os governistas se renderam. Em março de 1939, as forças nacionalistas ocuparam Madri, o último bastião da resistência republicana. A guerra civil estava acabada, a Espanha tinha sido o palco de ensaio para as operações da Segunda Guerra. A era de Franco, a qual se estenderia até 1975, acabava de começar.

HITLER E A SEGUNDA GUERRA

Tropas desfilam em frente a Hitler no início da Segunda Guerra Mundial.

O primeiro livro *Os Marcos do Desastre*, da grandiosa obra em 6 volumes Memórias da Segunda Guerra Mundial, de Winston S. Churchill, narra os acontecimentos na Alemanha e a ascensão do nazismo sob o ponto de vista dos britânicos. Logo na abertura, Churchill conta que ao responder ao presidente Roosevelt sobre como deveriam se referir à Segunda Guerra, disse de pronto: "a guerra desnecessária". E explica. "Nunca houve uma guerra mais fácil de se impedir do que essa que acaba de destroçar o que havia restado do mundo após o conflito anterior".

De fato, assim que chegou ao poder, em 1933, Hitler mostrou a que veio. Àquela altura, os problemas econômicos que martirizaram a Alemanha depois da Primeira Guerra já tinham sido resolvidos, e Hitler partiu para seu plano de instaurar o Terceiro Reich, o reino ariano que duraria mil anos. Para tanto, o nazismo perpetrou o terror e legitimou o fanatismo em todo o país. Minorias foram perseguidas e opositores assassinados ao mesmo tempo em que uma campanha de propaganda cuidava de fazer a lavagem cerebral dos alemães. Com o caminho aberto na Alemanha, Hitler procurou expandir o nazismo para além de suas fronteiras.

Em busca de parceiros que apoiassem seus objetivos, em 1936, Hitler se aliou com Benito Mussolini, o fundador do fascismo e ditador da Itália. Naquele mesmo ano, a Itália invadiu a Etiópia, e, em 1938, a Alemanha unificou a Áustria e a Sudetenland, a região de predominância alemã na Tchecoslováquia. Aproveitando o movimento europeu, ainda em 1938, o Japão invadiu a região da Manchúria, na China. Essa predisposição levou o país a se aliar à Alemanha e à Itália em 1940, quando a guerra já havia estourado no Ocidente. Estava formado o "Eixo" Berlim, Roma e Tóquio, conforme Mussolini batizou a aliança.

A Liga das Nações, uma organização mundial formada depois da Primeira Guerra mundial, semelhante à atual ONU, viu-se sem forças para impedir as agressões. As negociações na arena diplomática se mostraram infrutíferas. Hitler manteve diversas reuniões com o premiê britânico, Neville Chamberlain, para que a paz fosse mantida. Como se fossem senhores do mundo, Hitler e Chamberlain concordaram que a Alemanha interromperia sua expansão na Tchecoslováquia.

Na verdade, a Grã-Bretanha, com as cicatrizes da Primeira Guerra ainda abertas, queria evitar o confronto bélico com a Alemanha. Hitler, porém, não cumpriu o trato. Em 1 de setembro de 1939, onze meses depois do acordo com a Grã-Bretanha, os nazistas invadiram a Polônia. Dois dias depois, a Grã-Bretanha, a França, a Austrália e a Nova Zelândia declararam guerra à Alemanha. Estava montado o palco onde seria encenado o pior conflito que a humanidade jamais viu.

Com as feridas da Primeira Guerra ainda abertas, a França e a Grã-Bretanha não agiram de imediato. Hitler, ao contrário, não perdeu tempo e colocou suas forças na fronteira ocidental da Alemanha. Em abril de 1940, os nazistas invadiram a Dinamarca e a Noruega. Em meio à crise, Chamberlain resignou e foi substituído por Winston Churchill, em 10 de maio de 1940. Naquele mesmo dia, as forças de Hitler invadiram Luxemburgo, Bélgica e Holanda.

Ainda em maio, a *Blitzkrieg*, ou "guerra relâmpago", dirigiu-se contra a França. Acuados diante do poderio alemão, os franceses esperavam conter os invasores com a Linha Maginot, uma rede defensiva na fronteira entre os dois países. A Maginot, porém, mostrou-se inútil diante da *Blitzkrieg*. E em 22 de junho daquele fatídico 1940, uma humilhada França assinava o armistício. Como resultado das vitórias iniciais de Hitler, o ditador italiano Benito Mussolini entrou na guerra ao lado do Führer.

Na campanha para conter a invasão da França, os britânicos quase foram completamente derrotados e tiveram de bater em retirada às pressas, em Dunquerque. Nesse episódio, um dos mais marcantes da guerra, até iates de passeio foram utilizados para retirar os soldados. Não fosse o fato de estarem separados do continente pelo mar, os países da Grã-Bretanha teriam sido submetidos, e a guerra teria tido outro resultado. Mesmo tendo conseguido evitar o desastre, a Grã-Bretanha se viu sozinha.

Depois do fiasco de Dunquerque, os britânicos continuaram a combater a partir dos seus domínios. Hitler tentou um acordo de paz, mas Winston Churchill recusou. A resposta do Führer veio na forma de ataques aéreos sobre as maiores cidades da Grã-Bretanha, principalmente Londres.

Numa campanha aérea maciça, a Luftwaffe, a Força Aérea alemã, atacou bases da Real Força Aérea britânica, a RAF. Por volta de setembro de 1940, os alemães acharam que tinham destruído completamente a RAF e começaram a Blitz, como se chamou a série de bombardeios sobre Londres. Resignados, os britânicos resistiram até os nazistas interromperem a Blitz, em maio de 1941.

Entrementes, os britânicos combatiam as forças italianas no norte da África, expulsando-os do Egito. No começo de 1941, a Afrika Korps, comandada pelo lendário general Erwin Rommel, apelidado de "Raposa do Deserto", foi enviada para ajudar os italianos. Apesar de Rommel ser um brilhante estrategista, os britânicos conseguiram manter o controle da região.

Em março e abril de 1941, os nazistas capturaram a Iugoslávia e a Grécia. Os britânicos se retiraram para a Ilha de Creta, e os alemães orquestraram a primeira invasão via aérea da história, lançando milhares de paraquedistas que tomaram rapidamente a ilha. Apesar de bem-sucedidas, as invasões foram, na verdade, um erro estratégico de Hitler. Ele planejava invadir a Rússia soviética, mas com o atraso ocorrido por conta da invasão da Grécia e Iugoslávia, os alemães amargariam uma campanha realizada durante o terrível inverno russo.

A Operação Barbarossa, a invasão da Rússia soviética, começou em 22 de junho de 1941. Os alemães avançaram até quase chegar a Moscou, provocando severas baixas entre os soviéticos. Mas, em vez de tomar a capital, Hitler optou por avançar por dois flancos. Assim, ele dividiu suas forças, enviando parte delas para Leningrado e outra parte para o sul, ao mar Negro. Tencionava neutralizar toda a região. No entanto, foi um erro fatal que levou Hitler a perder a guerra. Em outubro, com a chegada do outono, as chuvas deixaram as tropas alemãs literalmente atoladas na lama dos caminhos. Em dezembro, enfrentando temperatura de - 40 °C, os nazistas interromperam o avanço. A guerra relâmpago falhara.

Enfrentando inimigos em duas frentes, Hitler se enfraqueceu. Em busca de uma saída, os alemães se esforçavam cada vez mais para cortar os suprimentos dos aliados. Foi uma guerra travada nos mares. Submarinos alemães bombardeavam navios mercantes destinados a abastecer os aliados. E tanto na água como no ar, os britânicos conseguiram resistir e destruir grande parte da força naval nazista.

A essa altura, apesar de não estarem ainda em guerra, os Estados Unidos colaboravam fornecendo ajuda financeira e suprimentos no esforço contra o Eixo. Quando o Japão invadiu o Norte da Indochina, os Estados Unidos boicotaram os japoneses, cortando suprimentos. Não havia alternativa ao País do Sol Nascente a não ser lutar contra quem bloqueava seus planos de expansão. Em 7 de dezembro de 1941, uma força-tarefa japonesa atacou a Frota do Pacífico dos Estados

Unidos, estacionada em Pearl Harbor, Havaí, afundando quatro navios de guerra e destruindo 20 aviões. No dia seguinte, os Estados Unidos, a Grã-Bretanha e o Canadá declararam guerra ao Japão. O rumo da guerra começava a mudar.

No mesmo mês em que os americanos entram no conflito, os soviéticos começaram uma contraofensiva, fazendo os alemães recuarem e impedindo seu avanço para o leste. Na primavera de 1942, Hitler ordenou o cerco a Stalingrado, um dos momentos mais dramáticos da invasão da URSS. Enquanto isso, os aliados ganharam posições na África e obrigaram a Itália a ser render, em 1943. Nesse mesmo ano, os soviéticos venceram a Batalha de Stalingrado. A Alemanha começava a desmoronar.

Reunindo-se em Teerã, no Irã, o presidente americano Roosevelt, Churchill e Stalin discutiram estratégias e planos para invadir a Europa ocupada a partir da Normandia, no Norte da França. O ataque à frente ocidental coordenado pelos britânicos e americanos viria a se chamar *Dia D*, a maior invasão por mar de toda a História. Hitler estava confiante de que poderia repelir o ataque. O general Rommel, provavelmente o maior estrategista alemão da Segunda Guerra, encarregou-se das defesas alemãs, construindo uma linha de fortificações que ficou conhecida como Muro do Atlântico. Não foi, porém, capaz de conter os 176 mil soldados comandados pelo general americano Dwight Eisenhower que desembarcaram na Praia de Omaha em 6 de junho de 1944 – o *Dia D*. Paraquedistas foram lançados atrás das linhas alemãs para capturar pontes e linhas ferroviárias. Os alemães lutaram bravamente, mas perderam. No final de junho, cerca de um milhão de soldados aliados já estavam estacionados na França. Em 25 de agosto, os aliados chegavam a Paris e libertavam a França. Num esforço desesperado, Hitler tentou mais uma ofensiva. Reuniu suas forças restantes e venceu a Batalha das Ardenas, entre a Bélgica e Luxemburgo. Os americanos, porém, conseguiram deter o avanço alemão perto do rio Meuse, Bélgica.

Na Frente Oriental, os soviéticos, munidos e abastecidos pelos britânicos e americanos, também se prepararam para repelir uma última ofensiva nazista. Nos combates que se seguiram, os soviéticos levaram a melhor. Três mil tanques alemães receberam ordens de bater em retirada. Os soviéticos, então, começaram a avançar em direção à Polônia, onde derrotaram os alemães em 1945. Depois, o Exército Vermelho expulsou os alemães da Hungria e, em seguida, ocupou a maior parte da Europa Oriental. Com sua ação, os soviéticos contribuíram individualmente mais que qualquer força aliada para a derrota do nazismo.

Cercado, Hitler sabia que tinha perdido a guerra. Enquanto os soviéticos avançavam rumo a Berlim pelo Leste, uma coalizão de forças britânicas e canadenses buscava chegar a Berlim pelo Norte, e americanos e franceses pelo centro. Hitler se suicidou em 30 de abril de 1945, dias antes de os soviéticos tomarem a capital, em 2 de maio. A Batalha de Berlim, como veio a se chamar o confronto que derrubou a cidade, foi uma das mais sangrentas de toda a história. Em 7 de maio, o general Alfred Doenitz, que substituiu Hitler, assinou a declaração de rendição incondicional da Alemanha, pondo um fim à guerra na Europa.

Interlúdio: A Guerra no Pacífico

Depois de Pearl Harbor e das derrotas que se seguiram, a guerra com o Japão assumiu um caráter próprio para os americanos. Os japoneses haviam derrotado os britânicos em Cingapura e tomado as Filipinas, em 1942. Então, Tóquio voltou seus esforços contra a Índia e a Austrália. Em junho de 1942, os japoneses tentaram invadir o Havaí, mas o plano foi interceptado, e os americanos destruíram grande parte da frota nipônica na Batalha de Midway, considerada o confronto naval mais importante da campanha do Pacífico. Depois dessa derrota, os americanos buscaram recapturar diversas ilhas no Pacífico. Em 7 de agosto de 1942, fuzileiros dos Estados Unidos invadiram Guadalcanal, na campanha mais violenta de toda a guerra. Os japoneses só abandonaram a ilha em fevereiro de 1943, após derramarem muito sangue. Com superioridade aérea e naval, em 1944, os aliados libertaram as Filipinas. Seu próximo alvo era o próprio Japão. Os fuzileiros americanos tomaram Iwo Jima em fevereiro de 1945 e, em seguida, Okinawa. Durante a batalha, os desesperados japoneses empregaram pilotos suicidas, os kamikazes. Mesmo assim, foram derrotados.

Apesar de tudo, o imperador Hirohito não se rendeu. Diante da recusa, os americanos decidiram poupar as vidas de muitos dos seus soldados e lançaram duas bombas atômicas sobre as cidades de Hiroshima e Nagasaki. Finalmente, em 2 de setembro de 1945, o Japão se rendeu, pondo um fim à guerra mais sangrenta que a humanidade jamais vivera. No total, cerca de cinquenta milhões de pessoas, a maioria civis (cerca de 33 milhões), morreram, e uma nova ordem mundial foi instaurada. Na verdade, para muitos historiadores, a Segunda Guerra Mundial levou ao início de um novo período na História.

Hitler: o Caminho para a Derrota

Até 1941, Hitler não sofria ameaças de nenhum inimigo. Apesar de os britânicos continuarem seu esforço de guerra, pouco podiam fazer sozinhos contra a Alemanha. Mas o ditador alemão cometeu um erro grave, que acabou custando a possibilidade de vitória. Em junho daquele ano, o Führer deu início à Operação Barbarossa, a invasão da União Soviética. Três milhões de soldados nazistas atacaram a União Soviética, quebrando o pacto de não agressão firmado entre Hitler e Stalin dois anos antes. Apesar do sucesso inicial, os alemães foram detidos próximos a Moscou em dezembro de 1941. A feroz resistência soviética e o inverno russo começavam a reverter o futuro da guerra.

O mês de dezembro de 1941 pode ser considerado o começo do fim de Hitler. Depois de fracassar na tentativa de conquistar a Rússia soviética rapidamente, o ditador nazista declarou guerra contra os Estados Unidos no dia 11 daquele mês, quatro dias depois de seus aliados japoneses atacarem a base americana de Pearl Harbor, no Havaí. Hitler lutava agora contra uma coalizão formada pelo maior império de então, o britânico, o maior poder industrial e financeiro do mundo, os Estados Unidos, e contra o maior exército da época, o soviético.

Com os eventos se voltando contra o Terceiro Reich, Hitler começou a cair. Em 1942, seus planos de tomar o Canal de Suez ruíram com a derrota na Segunda Batalha de El Alamein. No ano seguinte, o 6º Exército Alemão foi destruído na titânica Batalha de Stalingrado. Ainda em 1943, seu aliado italiano, Benito Mussolini, foi deposto por Pietro Badoglio, que se rendeu aos aliados. Para piorar a situação ainda mais, a lógica militar de Hitler se deteriorou tremendamente e ele começou a apresentar sinais de que sua saúde ia mal. O biógrafo Ian Kershaw supõe que o Führer estava sofrendo do mal de Parkinson. Outros pesquisadores acreditam que o ditador tinha sífilis.

Depois da Batalha de Stalingrado, as forças soviéticas forçaram, pouco a pouco, o exército alemão a bater em retirada da Frente Oriental. Do outro lado do mapa, enfraquecidos, os alemães foram incapazes de defender o front ocidental. Como vimos, em junho de 1944, os americanos e britânicos entraram no Norte da França, executando a maior operação militar da

História, a operação Overlord. No final daquele ano, os aliados já haviam penetrado em território alemão. Hitler via o Terceiro Reich agonizar.

Guerra em Casa

Diferentemente do que aconteceu durante a Primeira Guerra Mundial, a partir de 1943, os principais centros da Alemanha se tornaram palco do conflito. As consequências foram terríveis. Em quase todas as cidades, cerca de metade das casas estavam completamente destruídas. Milhões de alemães tinham se tornado refugiados. A grande maioria padecia de fome e não tinha roupas. Doenças e epidemias grassavam por todo o país. Não havia dinheiro, e a população, extremamente empobrecida, apelou para o escambo. Em troca de umas poucas batatas ou de um maço de cigarros, podia-se conseguir um piano de cauda ou qualquer tesouro familiar que tivesse sobrevivido às agruras de seus donos. Os cães e gatos desapareceram da paisagem alemã, devorados pela população faminta. O quadro tenebroso era agravado por conta do luto pelos parentes mortos ou pela falta de notícias dos entes queridos. No total, entre civis e militares, seis milhões e meio de alemães morreram durante o conflito. No Leste europeu, um grande número de soldados nazistas continuou preso em campos de prisioneiros mesmo depois da guerra, muito dos quais morreram na Sibéria sem nunca voltar para casa. Os últimos sobreviventes da Batalha de Stalingrado só retornaram em 1955, dez anos depois do fim do conflito e doze depois de terem sido mandados para campos de prisioneiros na Sibéria.

Embora Hitler admitisse, em 1944, que a Alemanha tinha perdido a guerra, ele não permitiu que suas tropas batessem em retirada. O ditador também ordenou que o Holocausto prosseguisse. Além disso, em sua insanidade, o Führer ordenou que toda infraestrutura industrial fosse destruída antes de cair nas mãos dos aliados. Fiel à ideologia nazista, a qual pregava que os povos que não conseguem defender seu território não têm o direito de existir, Hitler afirmava que, ao perder a guerra, a Alemanha perdera também o direito de sobreviver. O país inteiro devia sucumbir com ele. Por isso, o ditador ordenou a seu ministro de armamento, Albert Speer, executar esse plano. Felizmente, para as futuras gerações de alemães, Speer desobedeceu a Hitler.

Em abril de 1945, com as forças soviéticas às portas de Berlim, os seguidores do Führer tentaram convencê-lo de fugir para as montanhas da Bavária. Mas Hitler estava determinado a continuar na capital, mesmo que isso custasse sua vida. Apesar da derrota iminente, no dia de seu 56° aniversário, 20 de abril, o líder nazista não deixou de celebrar.

No dia seguinte, porém, os soviéticos romperam as linhas de defesa do general Gotthard Heinrici. As forças de Stalin avançavam agora diretamente para o *Bunker* de Hitler. O ditador, porém, ainda via esperança nas unidades maltrapilhas organizadas pelo general Felix Steiner. Sem desistir, Hitler mandou Steiner e seus homens atacarem o flanco norte dos soviéticos e deu a mesma ordem ao que restou do 9° Exército. No entanto, isso não passava de mera ilusão. No final daquele fatídico 21 de abril, o general Heinrici procurou Hans Krebs, chefe do Comando Supremo do Exército, e informou que o plano de Hitler não podia ser colocado em ação.

Na manhã seguinte, durante uma de suas últimas conferências militares, o Führer soube que suas ordens não foram obedecidas. Enfurecido, ele repreendeu duramente os comandantes presentes, acusando-os de traição e incompetência. Hitler concluiu a descompostura jurando que ficaria em Berlim, comandaria a resistência e, no final, se suicidaria.

Naquele mesmo dia, o ditador pensou em outro plano. O 12º Exército Alemão, o qual enfrentava os americanos a oeste, deveria se dirigir a Berlim e, no caminho, unir-se ao 9º Exército. Então, as duas forças deveriam libertar Berlim. Walter Wenck, comandante do 12º Exército, cumpriu as ordens e, de fato, chegou a atacar Berlim. Mas sem conseguir se unir ao 9º Exército, a tentativa não teve sucesso. As esperanças de Hitler se esgotaram.

No final do dia 27 de abril, Berlim estava completamente isolada do resto do país. Pior: no dia seguinte o Führer descobriu que o chefe da SS, Heinrich Himmler, estava tentando negociar os termos da rendição com os aliados. Hitler mandou que Himmler fosse preso e que seu representante em Berlim, Herman Fegelein, fosse fuzilado. Dois dias depois, o ditador redigiu seu testamento e expressou suas últimas vontades. O fim havia chegado. Em 30 de abril, depois de um intenso combate nas ruas, Hitler cometeu suicídio.

O Führer desaparecia da história, deixando atrás de si uma Alemanha destruída. Se ele não enfrentou as consequências de sua loucura, o mesmo não aconteceu com o povo alemão. O preço de ter seguido a loucura do ditador foi enfrentar, uma vez mais, a humilhação diante dos vencedores. Não só isso, tinham de reconstruir seu país. E havia muito trabalho a ser feito.

No final da guerra, a produção industrial alemã havia caído 80% com relação aos níveis anteriores a 1939. Os alemães eram malvistos em todos os lugares e tidos como bárbaros depois que as atrocidades cometidas nos campos de extermínio vieram à tona. Apesar de os campos de extermínio terem sido construídos todos na Polônia, os habitantes das cidades alemãs próximas a campos de concentração eram obrigados pelos exércitos vitoriosos a visitá-los e a observar as montanhas de cadáveres neles empilhadas. A maior parte dessas pessoas não tinha conhecimento de que tamanha violência era cometida tão perto de suas casas. Cerca de 12 milhões de alemães que viviam no Leste europeu foram expulsos de suas casas e tratados com crueldade vingativa.

Ainda hoje, muitos se perguntam como uma civilização avançada como a alemã pôde seguir a insanidade de Adolf Hitler.

PARIS EDITION

EXTRA **THE STARS AND STRIPES** EXTRA

Daily Newspaper of U.S. Armed Forces in the European Theater of Operations

Vol. 1—No. 279 | 1 Fr. | 1 Fr. | Wednesday, May 2, 1945

HITLER DEAD

Fuehrer Fell at CP, German Radio Says; Doenitz at Helm, Vows War Will Continue

Churchill Hints Peace Is at Hand

Primeira página do jornal das Forças Armadas dos EUA noticiando a morte de Hitler (edição de 2 de maio de 1945).

O SUICÍDIO

O *Führerbunker*, literalmente "abrigo do líder", era um complexo subterrâneo localizado em Berlim, Alemanha, com apartamentos, escritórios e outras instalações. Na verdade, tratava-se de dois Bunkers conectados, construídos em níveis diferentes a uma profundidade de 8,2 metros debaixo dos jardins da chancelaria do *Reich*. O complexo era protegido por aproximadamente quatro metros de concreto, com cerca de 30 quartos distribuídos pelos seus dois níveis com acesso aos prédios principais da chancelaria e uma saída de emergência para o jardim. O Bunker foi erguido em duas fases – a primeira em 1936, apenas três anos depois que Hitler chegou ao poder, e em 1943, quando já se sabia que a Alemanha perderia a guerra – pela construtora Hochtief, uma multinacional que atua, entre outros países, no Brasil. Era parte de um grande programa de construções subterrâneas iniciadas em 1940 em Berlim. A ideia era proteger a capital alemã dos inevitáveis bombardeios.

Os aposentos de Hitler ficavam na seção mais nova – e mais profunda –, decorados com móveis raros e diversas pinturas a óleo. O ditador se mudou definitivamente para lá em janeiro de 1945, quando os aliados pressionavam na Frente Ocidental e os soviéticos, na Oriental. Desde então, o *Führerbunker* se tornou seu quartel-general, de onde ele governou um Terceiro Reich que se desmoronava rápida e inevitavelmente.

Foi no *Führerbunker* que Adolf Hitler e sua esposa Eva Braun, casada com ele na véspera, cometeram suicídio, quando os soviéticos romperam as defesas de Berlim e estavam prestes a entrar no complexo.

O Fim do Führer

No final de abril de 1945, os soviéticos já entravam em Berlim e abriam caminho numa encarniçada guerra de rua para chegar até o centro da cidade, onde estava localizada a chancelaria. No dia 22 daquele mês, durante uma das costumeiras conferências sobre a situação militar que Hitler tinha com seu Estado-Maior, o Führer teve o que alguns historiadores descreveram como um esgotamento nervoso. O evento marcou o momento em que, pela primeira vez, o obstinado líder nazista admitiu que a derrota era inevitável.

Alguns de seus auxiliares mais próximos haviam sugerido que ele fugisse e tentasse se esconder nas montanhas da Bavária. Certos pesquisadores chegam a mencionar que Hitler poderia ter fugido para a América do Sul e se mesclado a algumas das diversas colônias alemãs existentes no Brasil, Argentina ou Chile, como fizeram muitos líderes nazistas depois da guerra, inclusive o famigerado "Anjo da Morte", Joseph Mengele. O líder nazista, porém, escolheu dar cabo da própria vida.

Com isso em mente, Hitler consultou Werner Haase, seu médico pessoal, que recomendou ingerir uma cápsula de cianeto – um veneno altamente mortal e, ironicamente, também usado nas câmeras de gás dos campos de extermínio – e, ao mesmo tempo, desferir um tiro na própria têmpora.

O Führer tinha um estoque de cápsulas de cianeto fornecidas pela SS. No entanto, quando, em 28 de abril, Hitler descobriu que Heinrich Himmler, comandante da SS, o havia traído e tentava negociar um tratado de paz com os aliados, o ditador desconfiou que as cápsulas não teriam o efeito desejado. A desconfiança fez Hitler ficar paranoico. Para testar a eficácia do veneno, pediu a Haase que o desse a sua cachorra, a cadela da raça pastor alemã Blondi. O animal que, desde que lhe fora dado de presente em 1941, o acompanhava a todos os lugares, servia seu dono pela última vez. Haase fez o que seu paciente pediu, e Blondi morreu. As cápsulas eram realmente eficientes.

Depois da meia-noite de 29 de abril, Hitler se casou com Eva Braun, uma modelo fotográfica 23 anos mais jovem que havia conhecido em 1929 e que havia sido sua amante desde 1931. Apesar do longo relacionamento, o chanceler se recusava a se casar com ela. Foi só nos últimos instantes que mudou de ideia. A pequena cerimônia civil teve lugar no escritório de mapas do *Führerbunker*.

De acordo com o historiador britânico Anthony Beevor, depois de uma modesta ceia de casamento com sua esposa, Hitler chamou sua secretária Traudl Junge, a mais jovem de suas assistentes, e ditou a ela seu testamento e suas últimas vontades. O Führer assinou esses documentos às quatro horas daquela mesma madrugada e se retirou para seu quarto.

Sem nunca deixar o Bunker, Hitler e Eva viveram como marido e mulher menos de quarenta horas. No final da manhã de 30 de abril, as forças soviéticas haviam chegado a menos de 500 metros do abrigo do líder. Acuado, o Führer se reuniu com o comandante encarregado da defesa de Berlim, general Helmuth Weidling, que o informou que as últimas tropas a defender a cidade ficariam sem munição até aquela noite. Weidling pediu pela segunda vez permissão para retirar suas tropas, mas pela segunda vez o obstinado Hitler não respondeu. Foi só horas depois, às 13:00, que ele permitiu que Weidling tentasse bater em retirada naquela noite. Foi a última ordem dada pelo chanceler alemão.

Instantes depois de despachar a ordem a Weidling, Hitler, duas secretárias, Eva e o cozinheiro particular do ditador participaram da última refeição do Führer: espaguete com um molho leve – afinal o cianeto age mais rapidamente se a vítima estiver de estômago vazio. Em seguida, Hitler e Eva se despediram dos funcionários do *Bunker* e militares, entre eles o chefe da propaganda nazista, o sempre fiel Joseph Goebbels, o qual, pouco depois, também se suicidaria com a esposa após matar seus seis filhos.

Por volta das 14:30, o casal Hitler se retirou para o estúdio do Führer. Segundo algumas testemunhas, às 15:30 ouviu-se um tiro vindo do estúdio. Depois de esperar alguns minutos, o criado pessoal de Hitler, Heinz Linge, e Martin Bormann, chefe da chancelaria, entraram no estúdio. Um cheiro de amêndoas queimadas, típico do cianeto, emanava no recinto. Adolf e Eva estavam ambos sentados lado a lado em um pequeno sofá. Hitler tinha a têmpora direita perfurada. Aos seus pés, a pistola 7.65 mm que ele usou jazia ao lado de uma poça de sangue. Eva não tinha marcas de ferimento. Tinha usado apenas o veneno.

Os dois corpos foram então retirados do *Bunker* pela saída de emergência e depositados numa cratera aberta pela explosão de uma bomba no jardim da chancelaria. Ajudado pelos guarda-costas de Hitler e membros da SS, Linge encharcou os corpos com gasolina e ateou fogo. Os cadáveres não foram completamente destruídos pelas chamas e, tendo recomeçado o bombardeio ao complexo, o criado foi impedido de prosseguir com a cremação. Os restos do Führer e de sua esposa foram cobertos na pequena cratera. Eram 18:00 horas.

Restos Mortais

Durante décadas, o destino dos despojos de Hitler foi uma incógnita. Em 1969, o jornalista soviético Lev Bezymensky publicou um livro baseado numa autópsia realizada pela SMERSH, o serviço de contra inteligência do exército soviético que antecedeu a KGB. Poucos, porém, acreditaram nos dados fornecidos pelo jornalista. Foi só em 1993, depois da queda do comunismo no Leste europeu, que a verdade veio à tona. A FSB, a agência governamental de inteligência que substituiu a KGB, divulgou os laudos das autópsias de Hitler e Eva junto a depoimentos de testemunhas, revelando o que aconteceu com os despojos depois que o Exército Vermelho tomou o *Führerbunker*.

Os soviéticos invadiram o complexo cerca de sete horas e meia após a morte de Hitler, mas foi apenas em 2 de maio que os corpos carbonizados do ditador e de sua esposa foram descobertos na cratera. Junto deles, também estavam enterrados dois cães – provavelmente Blondi, a pastora do Führer, e seu filhote Wulf. A autópsia revelou o tiro na têmpora de Hitler e mostrou que sua mandíbula continha cacos de vidro. Os corpos do casal foram enterrados e exumados repetidas vezes pela SMERSH durante o trânsito da unidade de Berlim para Magdeburg, onde foram enterrados permanentemente num túmulo sem marcas. No mesmo local, foram igualmente enterrados os corpos de Goebbels – o qual macabramente resistiu à cremação –, de sua esposa Magda e dos seus seis filhos pequenos. A localização foi mantida em segredo por ordens de Stalin.

Na década de 1970, a instalação onde os corpos jaziam, até então controlada pelos soviéticos, foi devolvida para o governo da Alemanha Oriental. Mas temendo que o local fosse descoberto e se tornasse um centro de culto pelos neonazistas, o diretor da KGB Yuri Andropov ordenou que os despojos fossem totalmente destruídos. No dia 4 de abril, uma equipe da KGB munida de mapas detalhados do local do túmulo exumou os restos de Hitler e dos outros e os cremou completamente. Em seguida, as cinzas foram jogadas no rio Elba, o lugar definitivo de repouso do homem que promoveu a destruição da Alemanha e de grande parte da Europa.

Mesmo após a divulgação da autópsia e da revelação do destino dos restos mortais de Hitler, os boatos continuaram. Em 2000, numa exibição aberta ao público, o FSB expôs um fragmento de crânio humano mantido em seus arquivos. O pedaço de osso seria, segundo a agência, tudo o que restou do corpo de Hitler. Muitos historiadores e pesquisadores duvidam da autenticidade do fragmento.

A dúvida sobre o destino dos despojos do ditador nazista permanece. A memória de Hitler, porém, continua tão viva como nunca deixou de estar.

Vala comum no campo de extermínio de Bergen-Belsen, durante a libertação do campo (abril de 1945). Ao centro, Fritz Klein, médico de Bergen-Belsen. Após julgamento, Klein foi condenado e executado em dezembro de 1945.

A SOLUÇÃO FINAL

O termo Holocausto, que em grego significa uma oferenda sacrifical, designa, na sua forma capitalizada, a tentativa de exterminação de grupos considerados indesejados pelos nazistas alemães durante o Terceiro Reich. As vítimas foram principalmente os judeus, mas também comunistas, homossexuais, ciganos, deficientes motores, atrasados mentais, prisioneiros de guerra soviéticos, membros da elite intelectual polonesa, russa e de outros grupos eslavos, ativistas políticos, testemunhas de Jeová, alguns sacerdotes católicos e protestantes, sindicalistas, pacientes psiquiátricos e criminosos de delito comum. Todos eles pereceram lado a lado nos campos de concentração e de extermínio. E tudo começou com a loucura de um único homem, capaz de incendiar os ânimos de um dos países mais civilizados da Europa.

Assim que o Partido Nacional-Socialista subiu ao poder, em 1933, Adolf Hitler começou a perseguir seus desafetos. Os judeus e as outras minorias foram declarados inimigos do Estado. Passou a ser proibido empregar qualquer mão de obra judia. E, como se isso não bastasse, os judeus não puderam mais exercer nenhuma profissão liberal. Banidos dos empregos públicos, eram obrigados a usar marcas que os distinguissem do resto da população. No caso dos judeus, eram duas estrelas amarelas – uma na frente e outra nas costas; no dos homossexuais, um triângulo cor-de-rosa.

Em 1935, foram proclamadas leis racistas, as chamadas Leis de Nuremberg. Elas proibiam os judeus de casar ou manter relações com arianos. Quem desrespeitava estas leis era preso e levado para campos de concentração, que estavam começando a ser construídos. Heinz Mergenteler, um engenheiro químico radicado no Brasil depois da guerra, declarou ao autor deste livro que certa vez, durante a guerra, seu pai, compadecido, ofereceu cigarros para alguns judeus que eram embarcados para campos de concentração. Um oficial da SS que supervisionava o embarque o abordou e o ameaçou com um destino igual ao dos israelitas, caso continuasse a ajudá-los.

O primeiro campo de concentração, Dachau, foi criado em 23 de abril de 1933, meses depois da ascensão de Hitler ao poder. Quatro anos depois, em julho de 1937, mais um campo de concentração, o de Buchenwald, foi aberto.

A ascensão nazista prosseguia. Em 13 de março de 1938, a Áustria foi unificada e as leis antijudaicas promulgadas por Hitler passaram a valer também naquele país. Pouco mais de um mês depois, em 22 de abril, um decreto eliminou oficialmente os judeus da economia germânica. Os alemães e austríacos étnicos assumiram seus lugares. Em 15 de junho do mesmo ano, começam as prisões dos judeus. Qualquer motivo, por mais banal que fosse, era usado contra eles. Os judeus eram presos e confinados em campos de concentração até mesmo por violação de leis de trânsito.

No final da década de 1930, o antissemitismo atingia proporções inacreditáveis. Os nazistas buscavam a todo custo expulsar os judeus da Alemanha. Procuravam incansavelmente uma solução para o "problema judaico". Não havia, porém, lugar para eles. Foi feita uma conferência internacional, na França, a fim de achar um local para os judeus se refugiarem. Mas nenhum país queria assumir o problema, e a conferência acabou em fracasso.

O resultado da perseguição nazista foi o êxodo em massa da elite intelectual, cultural e científica dos judeus-alemães. Até 1937, 118 mil judeus haviam fugido para a Palestina, para as Américas do Norte e do Sul e para outros países da Europa.

O ano de 1938 viu as coisas piorarem para os judeus-alemães. E muito. Em 5 de outubro daquele ano, o governo suíço sugeriu que os passaportes dos judeus-alemães fossem marcados com a letra "J". O procedimento impedia a entrada de judeus-alemães na Suíça. Esse foi o prelúdio de um tremendo golpe contra a comunidade israelita. Em 28 de outubro, numa ação brutal, os judeus não nascidos na Alemanha tiveram seus bens confiscados, foram presos e levados para fronteira da Polônia, onde os nazistas simplesmente os largaram. De início a Polônia não quis deixá-los entrar. E eles foram obrigados a ficar ao relento, em condições precárias. No final, o governo polonês acabou permitindo sua entrada. Azares da sorte, saíram da Alemanha, mas quando a Polônia foi invadida, muitos foram assassinados pela SS.

Alguns autores marcam a data de 9 de novembro de 1938 como o início do Holocausto, quando os nazistas promoveram um ataque aos judeus. O infeliz episódio recebeu um nome poético: *Kristallnacht*, "noite de cristal". O nome se deve ao fato de que, quando os nazistas quebraram as vitrines e janelas de lojas e residências judaicas, a luz da lua refletia-se nos cacos de vidro, fazendo-os parecer cristais brilhantes.

Num efeito dominó, depois dessa noite, o caos se propagou. Foram incendiadas todas as sinagogas na Alemanha, as oficinas de judeus, destruídas, suas lojas saqueadas e centenas de residências danificadas. Os prejuízos eram de centenas de milhões de marcos. Para completar a violência, todas as crianças judias foram expulsas das escolas, e o governo decretou a expropriação compulsória das indústrias e estabelecimentos comerciais dos judeus. Passou a ser comum os israelitas serem espancados e, até mesmo, assassinados. O saldo daquele infeliz 1938 terminou com perto de 30 mil judeus internados em campos de concentração.

O Holocausto era fato. Em 30 de janeiro de 1939, Hitler proclamou no Parlamento que, em caso de guerra, "a raça judaica será exterminada na Europa". Doze meses depois, mais de 300 mil judeus-alemães já tinham sido expulsos do seu país.

Guetos e Campos de Extermínio

Imediatamente depois da conquista da Polônia – evento que detonou a Segunda Guerra –, os judeus foram isolados em guetos. A vida nesses lugares era impensável; o espaço, mínimo. Na cidade polonesa de Lodz, por exemplo, numa área onde cabia de 20 a 30 mil pessoas, foram postas 160 mil. O resultado imediato foi doenças, morte e fome. Os cadáveres começaram a se acumular. Para evitar mais doenças, os corpos eram levados para a rua para serem recolhidos pelo "comando dos mortos", um grupo formado por judeus especialmente para esse fim. Os despojos humanos eram postos numa vala comum e cobertos com cal virgem.

Os que sobreviviam eram escravizados. Os alemães ordenaram a construção de fábricas e oficinas onde os judeus foram obrigados a trabalhar em troca de ração de 200 calorias por dia. Vale lembrar que para viver um ser humano necessita de 2.400 calorias diárias. Calcula-se que, com uma dieta de 200, calorias uma pessoa consiga viver, no máximo, 8 meses. Mas houve quem sobrevivesse durante toda a guerra.

As judias eram proibidas de engravidar. As crianças de até doze anos, idosos e doentes eram retirados dos guetos e levados para lugares especialmente criados para executar os inimigos do nazismo. Os campos de extermínio eram modernas instalações concebidas para assassinatos em massa.

Em 18 de maio de 1940, o campo de concentração Auschwitz foi aberto e, em seguida, convertido em campo de extermínio. Em 22 de junho de 1941, a Alemanha nazista invadiu a União Soviética comunista. Simultaneamente, o *Reich* esboçou o plano da "Solução Final". Em dezembro de 1941, Hitler tinha finalmente decidido exterminar literalmente os judeus, as minorias e os soviéticos da Europa. Em janeiro de 1942, durante a Conferência de Wannsee, vários líderes nazistas discutiram os detalhes da "Solução Final da Questão Judaica". E os massacres em massa começaram na Europa Oriental. Os nazistas iniciaram a deportação sistemática das populações de judeus, tanto dos guetos como de todos os territórios ocupados, para os sete campos de extermínio: Auschwitz, Belzec, Chelmno, Majdanek, Maly Trostenets, Sobibor e Treblinka II. O Holocausto foi levado a cabo metodicamente em cada centímetro do território ocupado pelos nazistas. Os judeus e outras vítimas foram perseguidos e assassinados num espaço onde hoje existem 35 nações europeias.

Fábricas da Morte

Nos Campos de Extermínio, os aptos fisicamente eram selecionados para trabalhar nas fábricas. Os outros prisioneiros eram mortos em câmaras de gás. Depois de assassinados, as obturações em ouro eram retiradas dos cadáveres. Até os cabelos das vítimas eram aproveitados para uso industrial. As mulheres, principalmente, tinham suas cabeças raspadas antes de entrarem nas câmaras de gás, e os cabelos eram reciclados e aproveitados em produtos como tapetes e meias. Além disso, os nazistas realizaram experiências pseudocientíficas com os judeus, usando-os como cobaias. O médico Josef Mengele, por exemplo, ficou famoso pelo seu sadismo. Mengele, que se refugiou no Brasil depois da guerra, era chamado de "Anjo da Morte" pelos prisioneiros de Auschwitz por causa dos seus experimentos tão cruéis quanto bizarros.

Em 2 de fevereiro de 1943, os nazistas recebem um tremendo golpe: o 6º Exército alemão capitula em Stalingrado. Começava, assim, a revirada da guerra. Hitler já sabia que não conseguiria derrotar os aliados. Entretanto, no mesmo dia que Stalingrado caiu, foi ordenado o reforço de transportes para campos de extermínio na Europa ocupada. Mesmo perdendo a guerra, os nazistas continuariam seus esforços para exterminar os judeus e as minorias dos territórios que tomaram. Em março daquele ano, novos crematórios começaram a funcionar em Auschwitz.

Treblinka II

Treblinka II foi projetado para ser um campo de extermínio. Localizado a quase dois quilômetros de Treblinka I, o anexo foi construído por empresas alemãs que usavam, como mão de obra a custo zero, prisioneiros poloneses e judeus. Inaugurado em 23 de julho de 1942, Treblinka II abrigou a máquina assassina que exterminou em sigilo os 265 mil judeus da capital polonesa.

O campo de extermínio era dividido em duas áreas. Uma delas incluía a plataforma dos trens, as moradias para os comandantes, a administração, marcenarias e um espaço reservado para os prisioneiros recém-chegados e seus pertences. A outra área era o setor de exterminação propriamente dito, com as câmaras de gás, as covas abertas e os crematórios, além dos barracões para os prisioneiros. Cercas separavam os dois setores. Além disso, o campo era protegido por duas cercas de arame farpado; a interna era camuflada com árvores e plantas, para encobrir suas atividades macabras. De acordo com testemunhas, a câmara de gás ostentava uma estrela de Davi e uma cortina, onde estava escrito: "Este é o portão pelo qual passam os justos".

Cerca de cinco a sete mil pessoas chegavam em cada comboio, trazidas até o campo de extermínio em vagões lacrados, superlotados, sem água, alimento ou qualquer tipo de atendimento às suas necessidades básicas. No desembarque, deparavam-se com a estrela de Davi e ouviam um discurso de um oficial da SS explicando-lhes que haviam chegado a um campo de trânsito. Em seguida, as mulheres e crianças eram separadas dos homens; os doentes eram também separados e os mortos jogados em local afastado. Começava, então, o humilhante ritual de raspar o cabelo e o encaminhamento para as câmaras de gás. Nesse momento, os guardas incentivavam as pessoas a escreverem para seus familiares. A correspondência seria posteriormente enviada, reafirmando ao mundo a impressão de que o processo de transferência judaica não passava de um reassentamento.

Treblinka II, como os outros campos de extermínio, era uma verdadeira linha de produção da morte, eficiente, rápida, sem falhas. Aos que sobreviviam às seleções para as câmaras de gás, era imposta uma rotina rígida e desumana de trabalhos forçados. Os trabalhadores de Treblinka II eram alemães e ucranianos, havendo, entre eles, também prisioneiros judeus. Enquanto os dois primeiros grupos eram responsáveis pela vigilância, pela brutal disciplina e pela operação das câmaras de gás, os judeus realizavam as tarefas mais pesadas. Entre elas estava a de separar as roupas e os objetos de valor dos mortos. Eles também eram obrigados a jogar nos fornos crematórios ou em valas abertas os cadáveres que outros prisioneiros judeus retiravam das câmaras de gás. Nessa tortura psicológica, os prisioneiros, muitas vezes, reconheciam entre os pertences ou entre os corpos, parentes, filhos, amigos, vizinhos. Em Treblinka, a expectativa de vida dos internos não ia além de poucas semanas.

O campo de extermínio começou a operar com três câmaras de gás, chegando em pouco tempo a seis. De julho de 1942 a abril de 1943, aproximadamente 870 mil pessoas morreram no local. Em sua grande maioria, os judeus eram friamente assassinados, poucas horas depois da sua chegada.

Com a aproximação das forças aliadas, no outono de 1943, os alemães começaram a evacuar o campo. Berlim deu ordens para que Treblinka, assim como outros campos, fossem totalmente destruídos. Os nazistas não queriam deixar provas sobre a existência ou as atividades do local. O processo de desativação foi sendo percebido pelos prisioneiros judeus, à medida que o número de transportes diários diminuía e aumentava o volume das cremações dos corpos jogados nas valas. As covas coletivas eram fechadas como se jamais tivessem existido.

Despertando do Pesadelo

Em 6 de junho de 1944, o *Dia D*, as forças aliadas invadiram a Normandia, na França, e iniciaram a libertação da Europa. Em 24 de junho, as tropas russas libertam o campo de extermínio de Majdanek, Polônia. No dia 23 de agosto, aconteceu a última sessão de asfixia por gás em Auschwitz. Dia 26, Himmler ordenou a destruição dos crematórios em Auschwitz para esconder evidências do campo de extermínio.

Em 11 de janeiro, as tropas Russas libertaram Varsóvia, onde não encontraram mais judeus – todos tinham sido deportados. Entre 17 e 26 de janeiro, os soviéticos libertaram 80 mil judeus em Budapeste. Em seguida, tomaram Auschwitz, onde havia perto de mil sobreviventes. Entre 11 e 28 de abril, as tropas americanas libertaram Buchenwald e Dachau. Tropas britânicas também libertaram o campo Bergen-Belsen. Com a chegada dos soviéticos nas imediações de Berlim, os nazistas evacuaram prisioneiros de Sachsenhausen e Ravensbruck. A SS perpetrou, então, o último massacre de judeus. No dia 30, Hitler se suicida em seu *Bunker*. Em 2 de maio, Berlim capitula e, em 8 de maio, a guerra, finalmente, termina.

O saldo do massacre Holocausto foi inimaginável, com cerca de seis milhões de judeus exterminados.

Hitler, posando para um fotógrafo, em 1930.

HITLER NO DIVÃ

Um raro documento, uma análise psicológica de Adolf Hitler que antecipou, entre outras coisas, seu suicídio, foi disponibilizada recentemente para o público. O estudo, intitulado *Análise da Personalidade de Adolf Hitler* com previsões sobre seu comportamento futuro e sugestões sobre como lidar com ele após a rendição da Alemanha, foi elaborado por Henry Murray, um psicólogo americano que, antes da Segunda Guerra, foi diretor da Clínica Psicológica da Universidade de Harvard e, durante o conflito, serviu no Escritório de Serviços Estratégicos dos Estados Unidos. O Escritório de Serviços Secretos foi um precursor da CIA, e Murray foi um dos primeiros a trabalhar nele.

A fim de prever o comportamento do Führer, em 1943, Murray foi encarregado de ajudar as forças aliadas a entender a psicologia de Hitler. Murray, que ficou famoso em sua área profissional por desenvolver uma técnica de análise de personalidade, escreveu que o ditador nazista tinha um tipo de personalidade estimulada por insultos contra ele, fossem reais ou imaginados. De acordo com Murray, o Führer guardava rancor e tinha baixíssima tolerância a críticas, além de exigir atenção de maneira excessiva e de ter tendência de diminuir, intimidar e culpar os outros. Pior: não descansava até conseguir se vingar de quem o ofendera – real ou supostamente. Por outro lado, além de grande força de vontade e de autoconfiança, o criador do nazismo possuía uma persistência incrível diante da derrota. No entanto, Hitler não tinha "as qualidades que contrabalanceariam esses traços (positivos) e lhe confeririam uma personalidade equilibrada", escreveu o pesquisador.

Hitler era um narcisista vingativo, maltratado pelo pai dominante e tinha neurose com relação às mulheres. Na verdade, ele sentia-se confortável apenas na presença de dois tipos de mulheres: figuras maternais ou meninas pequenas. O ditador sofria igualmente de histeria, paranoia, esquizofrenia e tinha tendências edipianas. Para Murray, o temor que Hitler tinha de se contaminar pelas mulheres vem de traumas de infância.

Baseando-se numa coleção de fontes da época da guerra, o relatório de Murray retrata o Führer como um garoto efeminado, sempre obsequioso com os superiores e com claras tendências homossexuais. Seu senso exagerado de injustiça pessoal quando sofria humilhações é a origem de sua crueldade, a qual, para Murray, levou à política de extermínio em massa. Dois anos antes do suicídio do ditador, Murray concluiu que "nele há grande compulsão de sacrificar a si e a toda a Alemanha para vingativamente aniquilar toda a cultura ocidental, para morrer arrastando para o abismo junto consigo toda a Europa". O psicólogo especulou que o ditador poderia pedir que um dos seus assessores o executasse ou que ele iria se retirar para o seu Bunker e se suicidar – o que de fato aconteceu. Em seu relatório, Murray também afirma que o povo alemão era tão culpado pelos horrores da guerra e das execuções em massa quanto seu líder. "Esse semideus satisfazia quase que completamente as necessidades, os desejos e os sentimentos da maioria dos alemães", escreveu.

Durante a infância, Hitler era um garoto romântico que nutria uma "profunda admiração e inveja pelo pai, de quem buscava imitar o poder masculino, ao mesmo tempo em que desenvolveu um desprezo pela submissão e fraqueza da mãe", relata o psicólogo. "Dessa forma, tanto o pai como a mãe são ambivalentes para ele: seu pai era odiado e respeitado, enquanto a mãe era adorada e depreciada. As ações extremas de Hitler foram todas feitas no sentido de imitar o pai, não a mãe", sentencia Murray.

O Exemplo do Pai

O pai do futuro Führer, Alois, era filho bastardo de Maria Anna Schicklgruber. Embora fosse casada com o homem que criou Alois, Anna nunca "deixava passar um rapaz bonito", conforme ela mesma teria dito. Anna nunca revelou o nome do verdadeiro pai do filho ilegítimo. Curiosamente, muitos sugerem que o pai de Alois pode ter sido um judeu chamado Frankenberger. Há, porém, outros candidatos.

Em 1877, quando tinha 39 anos, Alois mudou seu sobrenome: de Schicklgruber passou a ser Hitler. Embora isso não tenha sido feito de forma legal, seus empregadores aceitaram a mudança. Alois era um homem de muita energia e, como funcionário da alfândega, alcançou o posto máximo que poderia ter alcançado com seu nível de educação.

Aos 47 anos se casou pela terceira vez com Klara Pölzl. A mulher, provavelmente sua sobrinha, uma vez que um dos candidatos a pai natural de Alois era pai de Klara, tinha 25 anos e ficou grávida antes do casamento. Na verdade, Klara engravidou quando a segunda mulher de Alois, Franzisca Matzelberger, estava em estado terminal. Alois tinha feito o mesmo com relação à primeira mulher, Anna Glassl. Alguns historiadores especulam que, em dado momento, ele se relacionava com as três simultaneamente.

Adolf nasceu em 1889, o terceiro filho que Klara teve com Alois, mas o primeiro a sobreviver. Alois era violento com a mulher e com o filho – especialmente depois que voltava da taverna local. Certa vez, ele espancou Adolf com tanta brutalidade que temeu ter matado o menino. A mãe, por outro lado, mimava o garoto o mais que podia, a ponto de não conseguir discipliná-lo. Hitler cresceu no seio de uma família desajustada.

A crueldade do menino começou a se manifestar ainda na infância. Adolf, que tinha frequentes acessos de raiva, divertia-se matando ratos. Ao que tudo indica, Hitler não tinha boas recordações da infância. Durante a guerra, Döllersheim, a cidade natal de seu pai e o local onde sua mãe foi enterrada, foi transformada numa área de treinamento militar e foi destruída por ordens de Hitler. Muitos especulam que o ditador agiu dessa forma para encobrir seu passado.

Adolf era mau aluno. Ele não completou a escola secundária, que corresponderia ao nosso nível médio. O futuro líder da Alemanha fez apenas três anos letivos e ainda repetiu duas vezes. Em seguida, foi expulso da escola e abandonou os estudos aos 16 anos. Depois da morte do pai, Adolf foi para Viena, onde tencionava estudar Belas Artes. Lá, mergulhou no misticismo e na vida cultural. Apreciava especialmente a ópera. Tentou entrar duas vezes na Academia de Artes de Viena, mas, sem se preparar com antecedência, foi reprovado em ambas. Sem educação formal, experiência ou conhecimentos técnicos, sem inclinação para o trabalho e sem dinheiro e contatos, ele decaiu e chegou à beira de mendicância.

Quando a Primeira Guerra se aproximava, Hitler foi convocado para servir no exército austríaco. Mas ele fugiu para a Alemanha, indo viver em Berlim. Quando a Primeira Guerra estourou, o jovem se alistou no exército alemão como voluntário.

Apesar da falta de estudos e da pobreza em que se viu, o futuro líder da Alemanha foi um autodidata extremamente inteligente. Contraditório, trazia em si todas as fraquezas dos que foram maltratados quando criança e, ao mesmo tempo, os traços dos pequenos-burgueses criados com mimo e boa educação.

Com relação ao poder, Hitler foi essencialmente um oportunista. Não tinha uma filosofia política coerente. Seu enfoque era a conquista do comando. Grande orador, o Führer tinha uma presença cênica digna dos melhores atores. Manipulador nato, falava aquilo que as multidões queriam ouvir. Deu confiança aos alemães, humilhados depois da Primeira Guerra com os exageros a eles impostos pelo Tratado de Versalhes.

Entre seus traços contraditórios, está seu vegetarianismo. É difícil imaginar que alguém que mandou executar mais de seis milhões de judeus e cerca de cinco milhões de civis poloneses fosse vegetariano. Alguns colocam o vegetarianismo do Führer no reino das lendas e boatos sobre ele. Hitler também adorava animais e crianças – desde que fossem arianas.

Antissemitismo

Uma das marcas principais – e mais doentias – de Hitler era o antissemitismo. Em seu livro *Explaining Hitler* (Harper Perennial, Nova York,1998), Ron Rosenbaum enumera as diversas teorias que foram desenvolvidas para explicar os extremos de Hitler, principalmente o Holocausto: psicopata, vítima de abusos, sangue judeu, sofria de terríveis dores de cabeça, ausência de um testículo e tantas outras teses, boatos e mitos que procuram explicar o porquê das ações de Hitler. Rosenbaum detecta duas grandes correntes no discurso sobre Hitler: uma o apresenta como um ícone do mal absoluto, a outra acentua os fatores históricos, ideológicos e sociais que teriam moldado e determinado alguém como Hitler.

Rosenbaum reconhece que nunca se chegará a um consenso sobre o motivo de Hitler ter promovido o Holocausto porque as evidências históricas essenciais se perderam, foram destruídas ou simplesmente nunca existiram. Alguns pesquisadores, como Hugh Trevor-Roper, argumentam que o Führer estava convencido da missão de exterminar os judeus. Outros ainda, como Alan Bullock, sustentam que o ditador era um ótimo ator, um manipulador, que respondia ao antissemitismo latente na Áustria e Alemanha para obter dividendos políticos. Nesse sentido, ele teria agido apenas como uma parteira que ajudou a nascer o antissemitismo que há muito gestava na sociedade germânica, em geral, e alemã, em particular.

Além desses dois fatores, que não precisam necessariamente ser isolados, existe uma razão prática para a perseguição dos judeus. Ao se apropriar dos bens dos judeus que perseguiam, os nazistas financiavam sua máquina de guerra. E não só seus bens eram confiscados. Os cabelos das mulheres eram raspados antes de elas serem executadas e usados para fabricar meias e outros itens de vestuário para os soldados nazistas. Também são famosas as histórias sobre os dentes de ouro arrancados dos cadáveres judeus. Nesse sentido, a solução final foi apenas uma desculpa para explorar a riqueza de uma parte da sociedade alemã excluída por motivos religiosos e raciais.

Sejam quais tenham sido seus torpes motivos, hoje, o nome Adolf Hitler desperta tanto curiosidade como desprezo. O líder do Terceiro Reich passou para a história como uma das personalidades mais instigantes e cruéis do nosso tempo.

Um trecho do relatório *Análise da Personalidade de Adolf Hitler* com previsões sobre seu comportamento futuro e sugestões sobre como lidar com ele após a rendição da Alemanha revela a noção que os aliados construíram do Führer:

"Embora ele seja apresentado ao público alemão como homem de grande coragem, seus associados mais próximos têm frequentemente motivos para questionar isso. Isso parece ser verdadeiro especialmente com relação aos seus Gauleiters (líderes provinciais). Ele parece temer particularmente essas pessoas e, em lugar de confrontá-las, normalmente procura descobrir de que lado eles estão antes de encontrá-las. Quando a reunião acontece, ele propõe um plano ou uma ação que irá de encontro aos sentimentos da maioria.

"De acordo com Hohenlohe, ele também recuou frente aos generais do exército quando eles protestaram sobre o rápido desenvolvimento da questão de Danzig e que, antes de Munique, ele decidiu adiar a guerra porque descobriu que a multidão que assistia aos soldados marcharem sob as janelas da chancelaria não estava entusiasmada.

"Além disso, eles (os alemães) devem se perguntar sobre a necessidade de precauções extremas com relação à sua segurança. Quase todas são ocultadas do povo alemão. Quando Hitler aparece em público, ele parece ser um homem extremamente corajoso, saudando o povo de pé no banco da frente de seu carro aberto. A multidão não sabe do grande número de seguranças que se misturam ao povo, além dos guardas que se alinham nas ruas por onde ele passa. Nem sabem das detalhadas precauções que são tomadas na chancelaria.

Algumas frases de Hitler também são úteis para entender seu pensamento:

> *"Nem ameaças ou avisos irão me impedir de seguir meu caminho. Sigo o caminho a mim destinado pela Providência com a certeza instintiva de um sonâmbulo. Meu destino é a paz enraizada nos direitos iguais de todas as nações"*
>
> *"A ideia da luta é tão velha quanto a própria vida, pois a vida é apenas preservada porque outros seres vivos perecem através da luta. Nessa luta, o mais forte, o mais capaz, vence, enquanto o menos capaz, o fraco, perde. A luta é a mãe de todas as coisas. Não é através do princípio da humanidade que o homem sobrevive ou se torna capaz de se preservar acima do mundo animal, mas apenas por meio da mais feroz luta"*
>
> *"Acho que sou a pessoa mais musical do mundo"*

"Estou pronto a fazer seis juramentos falsos todos os dias"

"O tempo que passei na prisão foi minha universidade às custas do Estado"

"Eu liderei o movimento (nazista) sozinho, e ninguém irá impor condições até eu continuar a deter pessoalmente a responsabilidade"

"As massas são como um animal que obedece apenas a seus próprios instintos"

"A docilidade de carneiro do nosso povo corresponde ao seu desejo por inteligência"

"Essas táticas (empregadas por Hitler) são baseadas numa estimativa apurada da fragilidade humana e devem levar ao sucesso com certeza quase matemática"

"Somente as massas fanatizadas podem ser guiadas"

"Uma vez que eu tiver tomado o poder, nunca deixarei que ele seja tirado de mim"

"O Partido Nazista não deve servir as massas, mas dominá-las"

"A solidariedade humana é imposta aos homens pela força e só pode ser mantida pela força"

"Vamos testar a força da lei contra minha baioneta"

"A moral ou é estupidez ou decadência"

"A paz eterna só virá quando o último homem matar o penúltimo"

"Não importa se é certo começar uma guerra; o que importa é a vitória"

"O homem forte sempre está certo"

"Sou o maior ator da Europa"

"O Führer é o juiz supremo da nação... não há posição na área da lei constitucional do Terceiro Reich independente dessa vontade elementar do Führer"

"Somos socialistas, somos inimigos do sistema econômico capitalista por causa da exploração econômica do fraco, dos seus salários injustos, com sua avaliação errada do ser humano de acordo com sua riqueza e propriedade em vez de responsabilidade e desempenho, e estamos todos empenhados em destruir esse sistema de qualquer forma"

Hitler com sua amante Eva Braun, em 1942.

AS MULHERES DO FÜHRER

Muito se tem especulado sobre a orientação sexual do austríaco Adolf Hitler, sem, porém, nada se provar. Por conta de ter trucidado judeus, poloneses, soviéticos e certas minorias como ciganos e testemunhas de Jeová, muitos analistas afirmam que Hitler era um sádico, isto é, obtinha prazer sexual ao provocar sofrimento nos outros. No relatório *Uma Análise Psicológica de Adolf Hitler*, produzido ainda durante a guerra, em 1943, por um time de psicólogos do Escritório de Serviços Estratégicos, os autores afirmam categoricamente que Hitler era sádico. O documento descreve que Hitler sentia prazer ao urinar ou evacuar no rosto de homens ajoelhados diante dele. Outros pesquisadores afirmam que o desejo sexual de Hitler pode ser definido como sádico-voyeurista com relação às mulheres socialmente inferiores e masoquista com as mulheres por quem nutria admiração.

O testemunho da atriz Renate Müller (1906 – 1937) respalda essa definição. Segundo Renate (que acabou assassinada), uma noite, após jantar com Hitler na Chancelaria, ele começou a descrever em detalhes os métodos de tortura da Gestapo. Em seguida, ambos se despiram, Hitler deitou-se no chão e implorou que ela o chutasse. Renate recusou, mas o Führer continuou pedindo, dizendo que ele era seu escravo e que não merecia estar na mesma sala que ela. Renate não resistiu mais e se pôs a espancá-lo e a chutá-lo, o que teria deixado o chanceler alemão incrivelmente excitado. Quando o jogo acabou, Hitler beijou a mão de Renate, agradeceu-a pela "agradável noite", soou a campainha e pediu que um criado acompanhasse a atriz até a saída. Em 1937, a atriz faleceu com apenas 31 anos de idade. Hoje, acredita-se que tenha sido assassinada por oficiais da Gestapo.

A relação que o líder nazista viveu com a filha de sua meia-irmã – sua sobrinha Ângela, ou "Geli", Raubal (1908 – 1931) –, embora envolta na névoa do segredo tão bem guardado pelo Führer, também comprova as perversões atribuídas a ele. Hitler nunca se sentia à vontade na companhia de mulheres. Geli foi a única exceção em sua vida. Nem mesmo Eva Braun (1912 – 1945), a amante com quem o líder do Terceiro Reich se casou na véspera do seu suicídio, compartilhou com o amante a intimidade que Geli conquistou do tio. De acordo com especulações, com Geli, o Führer satisfazia todo o espectro do seu desejo. O misógino nazista, para quem as mulheres deveriam ser "como um bichinho de pôr no colo, macias, doces e estúpidas", acabou por transformar Geli num mero objeto de seu prazer.

Hitler a convidou a vir morar com ele em Munique, onde Geli estudaria medicina. Mas tão logo a desavisada sobrinha se mudou para o apartamento do tio, ele a escravizou. Ameaçada pelo abandono – o que implicava uma vida de pobreza não só para ela, mas para a mãe e a irmã –, Geli submeteu-se aos mais grotescos gostos sadomasoquistas do tio. Conforme ela contou a um oficial da AS, a ala paramilitar do Partido Nazista, que teria sido seu amante, Hitler se ajoelhava diante dela e, depois de examinar minuciosamente a genitália da sobrinha, a obrigava a urinar em seu rosto.

Em 1931, quando Hitler iniciava seu relacionamento com Eva Braun, Geli foi encontrada morta no apartamento de Hitler, com um tiro da pistola do tio. Ao lado do corpo, uma carta inacabada. Muitos duvidam que tenha sido suicídio. Ciente da sua ascensão política, o líder nazista – que deveria ser um exemplo em termos de comportamento – não podia arriscar um escândalo.

Eva Braun

Depois do aparente suicídio da sobrinha, Hitler começou a se relacionar com Eva Braun, modelo fotográfica de Heinrich Hoffmann, o fotógrafo oficial do Partido Nazista. Eva era 23 anos mais jovem que Hitler. Em seus diários, Eva reclama da constante desatenção do amante. Frustrada, ela tentou se suicidar duas vezes. A primeira, em 1932, quando tinha apenas 20 anos, deu um tiro no pescoço. Três anos depois, Eva tentou se matar com uma overdose de pílulas para dormir. Se não conseguiu dar cabo da própria vida, ao menos passou a receber mais atenção do Führer. Mesmo assim, isso não veio na forma de calor humano, mas de bens e dinheiro. Hitler deu a ela uma grande casa em Wasserburgerstrasse, um subúrbio de Munique. O dinheiro que recebia do amante garantia a ela luxos como ter uma Mercedes e um motorista a seu dispor. Alguns historiadores especulam que a atenção de Hitler depois da tentativa de suicídio de Eva e das mortes de Geli e de Renate tinha simplesmente a intenção de evitar mais escândalos.

Apesar da aparente proximidade, Eva nunca podia ficar na presença do amante quando outros dignitários do Terceiro Reich estavam com ele. Além de só terem se casado às vésperas do suicídio de ambos, Hitler e Eva nunca apareciam juntos em público. Ao que parece, o Führer temia perder popularidade entre as alemãs. Na verdade, o povo alemão só ficou sabendo do relacionamento dos dois depois da guerra. De acordo com Albert Speer, ministro de armamentos do *Reich*, Hitler e Eva nunca dormiam no mesmo quarto. "Hitler considerava Eva Braun socialmente aceitável apenas dentro de limites rígidos", escreveu Speer em suas memórias. "Às vezes eu fazia companhia a ela em seu exílio, um quarto ao lado do de Hitler. Ela se sentia tão intimidada por ele que não se atrevia a sair da casa para dar um simples passeio. Por simpatia à sua situação nada invejável, logo comecei a gostar dessa mulher infeliz, a qual era tão ligada a Hitler", confessa Speer.

Hitler, antes de assumir a chancelaria, no início dos anos 1930.

AS FRAQUEZAS DE HITLER

A curiosidade que a personalidade de Hitler continua causando não só na geração dos *baby boomers*, mas também nas seguintes, proporcionou especulações as mais diversas sobre sua vida. Os hábitos, o comportamento, os relacionamentos e a psicologia do Führer têm sido estudados exaustivamente, trazendo verdades à tona ao mesmo tempo em que semeiam boatos e geram mitos. A saúde do ditador é um desses temas controversos, usada muitas vezes na tentativa de explicar seu comportamento bizarro. Alguns biógrafos afirmam que Hitler tinha sífilis, outros veem em certos relatos e depoimentos sintomas de Parkinson e muitos sustentam que o inventor do nazismo sofria de alguma psicopatologia.

Nos últimos anos de sua vida, Hitler apresentava tremores e batimento cardíaco irregular, o que poderia sugerir que tinha os sintomas presentes na fase final da sífilis. Se assim fosse, o Führer teria contraído a doença muitos anos antes. Theodor Morell, médico pessoal de Hitler, teria diagnosticado a doença em seu paciente mais ilustre no início de 1945. Alguns historiadores confirmam o diagnóstico de Morell citando as 14 páginas da autobiografia, *Mein Kampf*, onde o ditador expõe suas preocupações com a sífilis, chamando-a de "doença de judeus". É nesse ponto que começam as especulações.

Na primeira metade do século passado, a sífilis era uma doença séria que atingia uma proporção considerável da população da Europa e dos Estados Unidos. No *Mein Kampf*, Hitler também escreve sobre as tentações da prostituição, relacionando a prática à disseminação da sífilis, o que levou alguns pesquisadores a sugerir que ele teria contraído a infecção de uma prostituta, por volta de 1908. Isso seria também o motivo pelo qual ele evitava ter relacionamentos sexuais com as mulheres.

Tem-se sugerido que o antissemitismo cego de Hitler pode ter origem no seu contágio. Os que sustentam essa tese acreditam que o Führer teria sido contaminado por uma judia e, por conta disso, passou a nutrir ódio por esse povo, desejando se vingar em toda a comunidade semita europeia. Essa, porém, é uma das teses menos embasadas sobre o motivo do antissemitismo de Hitler. Na verdade, desde a década de 1870, por conta do preconceito contra os israelitas em toda Europa, era comum associar a doença aos judeus.

Parkinson

Os tremores nas mãos e o andar arrastado de Hitler sugerem, além da sífilis, que o ditador pode ter padecido de Parkinson. Os sinais começaram antes da guerra e só pioraram ao longo do conflito. O médico Morell tratou seu paciente como se ele sofresse de Parkinson e outro médico, Ernst Schenck, confirmou o diagnóstico. No entanto, Morell é considerado um médico pouco convencional e os historiadores tendem a suspeitar de suas opiniões profissionais. Quanto a Schenck, ele atendeu o Führer em apenas duas ocasiões e em ambas admitiu que estava muito cansado, após operar durante dias seguidos sem muito tempo para dormir.

Mas se as informações sobre a possível sífilis de Hitler e as especulações sobre seu Parkinson estão encobertas por dúvidas, as hipóteses sobre a saúde mental do Führer são um labirinto de teorias ainda mais contraditórias e inconclusivas. Se ele apresentasse alguma desordem mental, então seria mais fácil explicar suas ações radicais. Transtorno de personalidade limítrofe, ou bipolaridade, esquizofrenia, Síndrome de Asperger (uma síndrome de aspecto autista) são alguns dos diagnósticos sugeridos por especialistas que estudaram os sintomas e o comportamento do ditador.

Michael Fitzgerald, um especialista em autismo, afirmou que a insônia de Hitler, os hábitos alimentares, o fato de não gostar de contato físico, a inabilidade de firmar amizades e a ausência de humanitarismo são características dos portadores da Síndrome de Asperger. Para Fitzgerald, o Führer não sofria de esquizofrenia, como muitos propõem, mas do tipo de autismo descrito pelo pediatra austríaco Hans Asperger.

Chocólatra

Os relatórios sobre a saúde de Hitler dão conta de que ele tinha problemas odontológicos: seus dentes eram péssimos. O ditador gostava muito de doces e se alimentava mal, apesar das afirmações sobre ele ser vegetariano. Testemunhos de seus convivas relatam que ele costumava colocar sete colheres de açúcar em seu chá e adorava chocolates. Os maus dentes de Hitler deram margem à ideia de que ele raramente sorria em público para escondê-los e explicam o porquê de ele cobrir a boca com a mão nas ocasiões em que ria.

Certos pesquisadores propõem que seus sintomas são apenas reflexos de hipocondria. Apesar das dúvidas que continuam a pairar sobre a saúde de Hitler, o fato é que sua disposição física e mental começou a declinar drasticamente na medida em que a Alemanha perdia a guerra.

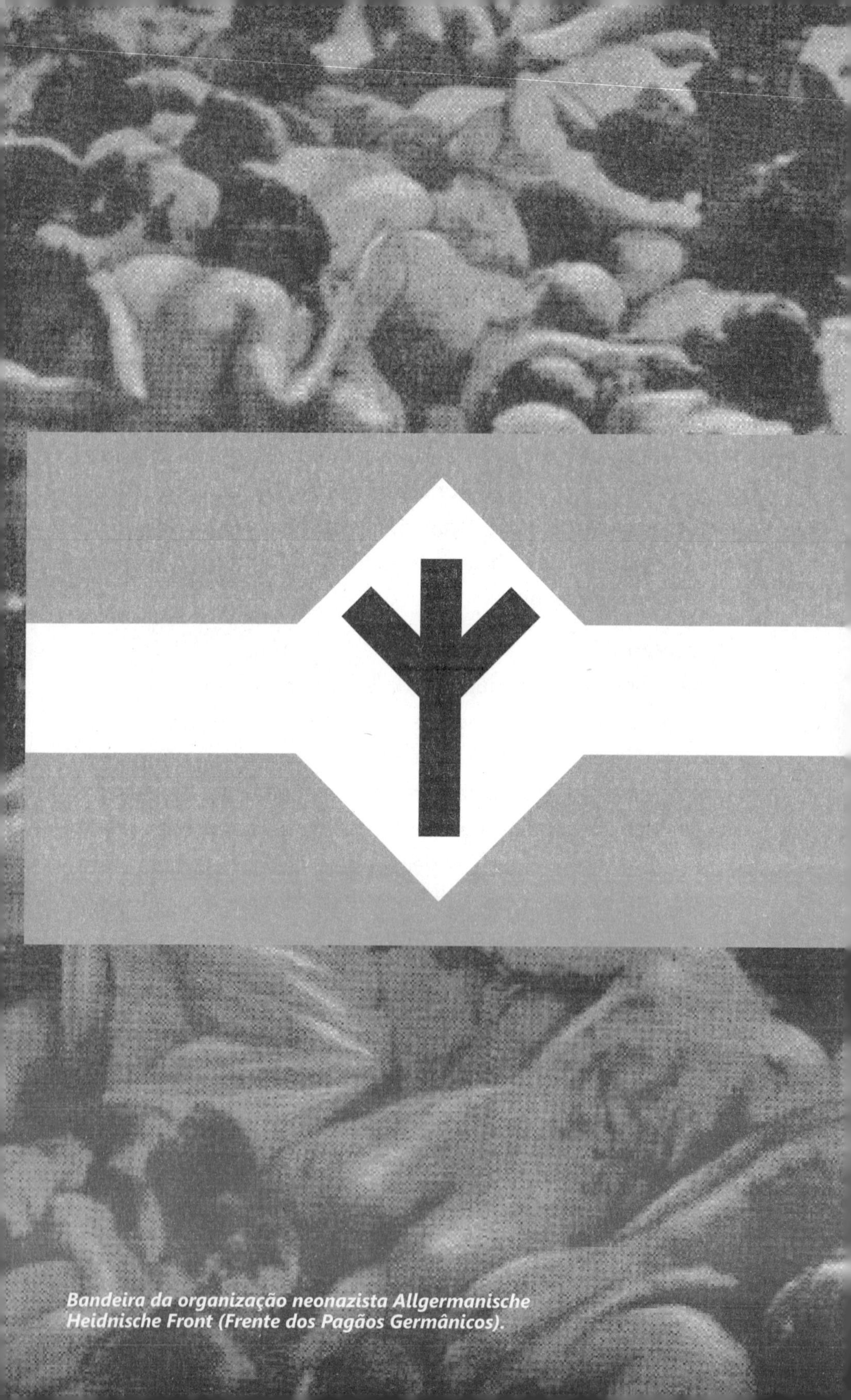

Bandeira da organização neonazista Allgermanische Heidnische Front (Frente dos Pagãos Germânicos).

O LEGADO

Quatro anos depois do final da Segunda Guerra, surgiram dois Estados alemães separados. Um comunista e autoritário; outro capitalista e democrático. A Alemanha Ocidental recuperou-se das devastações da guerra e, com ajuda dos Estados Unidos, recuperou sua economia e reconstruiu suas cidades e sua infraestrutura. Após um "milagre econômico" na década de 1950, a Alemanha Ocidental se tornou uma das maiores potências do mundo, proporcionando um padrão de vida para seus cidadãos mais elevado do que o do Reino Unido, por exemplo – um dos vencedores do conflito.

A Alemanha Oriental, embora sofrendo grande pressão da União Soviética, recuperou-se de maneira mais lenta, mas também estava praticamente reconstruída até o final da década de 1950. No entanto, os alemães-orientais foram submetidos a um regime opressor.

Em meados da década de 1950, dez anos depois do final da guerra, portanto, as duas Alemanhas começaram a se rearmar. A Guerra Fria, que dividiu a coalizão contrária a Hitler imediatamente depois do final do conflito, determinou que os novos países participassem da defesa dos dois blocos de poder. O confronto entre o Ocidente, democrático e capitalista e o Leste europeu, comunista e totalitário, se dava no meio da antiga Alemanha.

Berlim se tornou o centro nevrálgico da Guerra Fria. As tensões entre os Estados Unidos e a União Soviética se adensavam no ar da cidade. A exemplo do país, a capital também havia sido dividida. Famílias foram separadas, impedidas de se reunir, como todo o povo alemão. Até o final da Guerra Fria, a maior concentração de armas nucleares estava em solo alemão.

Em 1989, porém, com o colapso da União Soviética e a consequente queda do comunismo nos países da chamada Cortina de Ferro – a "cortina" imaginária que separou o Oeste do Leste europeu, dividindo o continente entre nações capitalistas e comunistas –, a Alemanha Ocidental e a Oriental se reunificaram. Um intenso programa de desenvolvimento foi aplicado no Leste do país. A Alemanha foi reconstituída e, hoje, ocupa seu lugar na história, uma das nações líderes do cenário internacional, como sonhara a geração que seguiu Hitler em sua insana guerra de conquista. Resta, porém, o passado, o pesadelo da culpa por ter lançado o mundo no maior conflito que a humanidade já presenciou, perpetrando crimes de guerra tão hediondos quanto inimagináveis. Essa culpa, os alemães ainda estão tentando purgar.

Culpa

Apesar de hoje restarem poucos alemães que viveram sob o regime nazista, a culpa pela Segunda Guerra continua a assombrar todo o povo alemão. Em janeiro de 2008, o então ministro da cultura Bernd Neumann anunciou a construção de dois novos memoriais. O primeiro se destinava a honrar os ciganos presos e deportados para os campos de extermínio nazistas. O outro, que inclui vídeos de homens e mulheres homossexuais se beijando, homenageia as milhares de vítimas condenadas à morte por sua orientação sexual, considerada uma aberração pelo regime de Hitler. Além dos novos memoriais, há ainda o dos Judeus Assassinados na Europa, o qual consiste em 2.711 pilastras. Os monumentos dedicados aos ciganos e aos homossexuais marcam o aniversário de 75 anos da ascensão do Führer ao poder.

As lembranças suscitadas pelos abusos cometidos durante a era nazista levaram à criação, em 2005, do Dia Internacional do Holocausto, celebrado em 27 de janeiro. Conforme observou o então ministro do exterior alemão, Frank-Walter Steinmeier, o Holocausto "sempre será uma parte indelével da nossa história".

De fato, a culpa é difícil de ser extirpada. No início de 2008, um projeto de moradias populares foi alvo de acalorada discussão, pois teria lugar em uma antiga corte nazista, na qual juízes nazistas sentenciaram milhares de pessoas à morte. Muitos aprovam esse tipo de atitude. O bispo luterano Wolfgang Huber disse ao jornal britânico Telegraph que os alemães "devem sempre renovar a memória dessa época", algo que as gerações seguintes ao nazismo têm feito espontaneamente.

As celebrações para relembrar os 75 anos da subida de Hitler ao poder incluíram duas exibições sobre o papel das estradas de ferro alemãs no transporte das vítimas do Holocausto. Na cidade de Erfurt, onde os fornos crematórios de Auschwitz foram fabricados, aconteceu uma cerimônia em memória às vítimas daquele campo de extermínio. Ali, também foi construído um museu, comemorando a libertação dos prisioneiros sobreviventes do campo.

Sobre a preocupação dos alemães com sua culpa, Avi Primor, ex-embaixador de Israel na Alemanha, perguntou: "quem já viu, em todo o mundo, um país que erige memoriais para imortalizar sua própria vergonha". Ele mesmo respondeu: "apenas os alemães tiveram essa coragem e humildade".

Essa reflexão é parte do longo debate sobre a possibilidade de se colocar um fim no seu passado. Os alemães sabem, porém, que apesar do seu esforço, esse passado nunca será esquecido, uma vez que as ações de seus pais e avós, os quais serviram ao regime de Hitler, sempre terão um forte impacto histórico.

Novos Nazistas

Enquanto a Alemanha procura encarar e purgar seu passado, nas décadas que se seguiram ao fim do Terceiro Reich, movimentos de extrema direita têm pipocado em todo o mundo. Em seu livro *The Beast Reawakens* – A Fera Acorda de Novo (Little, Brown and Company, Boston, 1997), o jornalista Martin Lee sustenta que isso aconteceu porque muitos nazistas proeminentes conseguiram escapar da punição e puderam desenvolver carreiras de sucesso depois da guerra. De acordo com Lee, esses antigos oficiais são o elo entre o passado nazista e os novos movimentos de ultradireita que seguem os preceitos de Hitler.

Um bom exemplo citado pelo jornalista é Willis Carlo. Carlo faz apologia ao nazismo. Seus artigos defendendo que a história do Holocausto foi distorcida podem ser lidos na Internet. Através do Lobby da Liberdade e da sua revista *Spotlight*, Carlo defende as atrocidades perpetradas pelos nazistas, reduzindo a história divulgada à mera "intriga da oposição". Na década de 1960, Carlo conseguiu forjar laços com o Partido Republicano dos Estados Unidos, conquistando legitimidade para seus esforços promocionais entre os neonazistas americanos e europeus.

No final dos anos 1980, com a queda do comunismo no Leste europeu, os países daquele continente se tornaram mais vulneráveis aos apelos dos neonazistas. Em seu livro, Lee aponta o ressurgimento do fascismo em toda a Europa. Mais ainda, esse renascimento teria sido até mesmo estimulado pelos líderes políticos. Na Itália, Romênia, França e Áustria, lideranças "demagógicas buscaram dirigir os ressentimentos econômicos e sociais às tendências nacionalistas e raciais", estimulando a xenofobia. Nem mesmo os Estados Unidos estão livres do vírus neonazista. Lee mostra evidências de que alguns líderes de movimentos locais têm fortes tendências neonazistas. O jornalista vai ainda mais longe e sustenta que alguns candidatos a cargos elevados na administração americana não titubeiam em explorar a violência e o medo irracional com relação aos estrangeiros, dois elementos marcantes do nazismo bastante "presentes na paisagem política dos Estados Unidos".

Retrato de Hitler, c.1938.

HITLER, A LENDA

Hitler tinha apenas um testículo, era judeu e homossexual, teve filhos e, depois da Guerra, conseguiu fugir e virou monge. Hoje lidera uma frota de discos voadores, cuja base subterrânea se localiza na Antártica.

Poucas personalidades modernas deram margem à criação de tantos mitos a seu respeito como Adolf Hitler. A curiosidade que a sua loucura e a insanidade das suas ações provocam na mente das gerações subsequentes à guerra acabou gerando os mais fantasiosos boatos e rumores a respeito do Führer. Eventos históricos pouco documentados também serviram (e ainda servem) de combustível à imaginação e provocaram rumores que nada têm com a realidade.

Na verdade, Hitler nunca deixou de ser lenda. Em seu livro *Der Hitler-Mythos* (Os Mitos de Hitler), Marcel Atze lembra que o mito de Hitler foi criado ainda em vida para servir de ferramenta de propaganda. Era visto por seus seguidores mais próximos – todos, aliás, imbuídos de um misticismo deturpado – como o predestinado escolhido por forças sobrenaturais para conduzir a Alemanha rumo à vitória. Ainda em vida, o Führer era cultuado como semideus em uma espécie de religião cívica. Os símbolos nazistas corroboram a tese. Não só isso: forneceram o material do qual nascem as lendas.

Conforme Atze argumenta, o suicídio de Hitler nada fez para diminuir sua estatura histórica. Ao contrário, lançou mais lenha na fogueira das fábulas. Sem dúvida, Hitler é a figura central da memória coletiva alemã desde que subiu ao poder, em 1933. O cinema e a literatura muito contribuíram para a criação e a divulgação dessas fantasias. Hitler foi retratado nas telas e pintado pelas letras ora como instável e cruel, ora como um líder benevolente e comprometido. Apesar das contradições, os rumores têm um lugar em comum. Quase todos os mitos de Hitler conduzem (e tentam explicar) o Holocausto.

Boatos

O espectro das lendas e dos boatos sobre Hitler vão do esdrúxulo à leve distorção da realidade. Um deles é o de que o Führer tinha apenas um testículo. Até mesmo os legistas soviéticos que examinaram o cadáver semicarbonizado de Hitler buscaram comprovar se isso era verdade ou mentira. De fato, esse mito teve origem numa canção ofensiva composta na Grã-Bretanha durante a guerra. Tratava-se de uma paródia cantada com uma melodia popular nas ilhas britânicas no início do século passado, a Colonel Bogey March. A letra depreciava o tamanho e a potência da genitália de diversos líderes nazistas, principalmente, claro, da de Hitler.

Outro mito popular a respeito do Führer reza que ele descendia de judeus. Isso se deve ao fato de o seu pai, Alois Hitler, ter sido filho bastardo. A avó paterna de Adolf nunca revelou a verdadeira identidade do genitor do pai do futuro ditador. Na verdade, a promiscuidade da mãe de Alois era notória, e a suspeita recaiu sobre vários homens. Um deles era judeu, um certo Frankenberger. Mas se o boato é forte o bastante para gerar uma lenda, nada prova. É certo que o paradoxo – o maior perseguidor dos israelitas ter sido um deles – acrescenta peso ao mito. E é justamente por causa das informações mal compreendidas que surgem os rumores.

Os motivos da perseguição aos judeus é outra matéria que fez nascer pencas de boatos sobre Hitler. O mais comum é que seu sonho de se tornar artista foi frustrado por israelitas. Quando o futuro Führer tentou ingressar na escola de Belas Artes de Viena, foi reprovado nas duas tentativas. Quem o teria reprovado foram examinadores judeus. Enfurecido, Hitler incendiou o mundo e de quebra atirou os judeus na fogueira da guerra. A verdade é outra. Como vimos, o antissemitismo entre os alemães e austríacos já era muito disseminado no final do século XIX e início do XX. Junte-se isso ao fato de a força política de Hitler derivar da demagogia e o mito está criado. De fato, o líder nazista falava apenas o que as multidões queriam ouvir. Além disso, o dinheiro confiscado dos judeus ajudou a bancar os milhares de marcos necessários para financiar o esforço de guerra. Os judeus sempre foram bodes expiatórios em toda a Europa, e a opinião internacional não se chocaria tanto assim se fossem perseguidos – como não se chocou antes da guerra. Quando os nazistas começaram a persegui-los, ainda nos anos 1930, o governo suíço, por exemplo, determinou que os passaportes dos israelitas fossem marcados com a letra "J", para impedi-los de entrar em seu país. Foi só depois que o impensável Holocausto foi revelado que o mundo passou a ver os judeus de forma diferente.

A xenofobia de Hitler também gerou histórias curiosas, algumas até mesmo divertidas. É o caso da invenção da Fanta, a popular soda de laranja. Essa lenda urbana dá conta de que, odiando tudo o que não fosse de origem ariana, o Führer proibiu a importação e a venda de Coca Cola na Alemanha. Afinal, o refrigerante era um símbolo dos Estados Unidos, e o Terceiro Reich combatia o capitalismo com unhas e dentes. Temendo que os alemães ficassem descontentes com a proibição, o ditador ordenou que seu ministro da propaganda, Joseph Goebbels, contratasse uma equipe de especialistas e criasse uma bebida para substituir a Coca. O novo refrigerante recebeu o nome de Fanta e era anunciado com o slogan "é uma coisa do *Reich*". Foram feitos filmes promocionais da Fanta, nos quais judeus estereotipados eram exibidos bebendo Coca e os arianos, Fanta. Depois da guerra, reza a lenda, a Coca comprou a marca.

A tese de que Hitler deixou descendentes acabou gerando o bestseller *Meninos do Brasil* (Francisco Alves, São Paulo, 1976), do escritor americano Ira Levin. Em seu livro, Levin explora dois ícones do imaginário da Segunda Guerra: Hitler e Joseph Mengele, o médico conhecido como "Anjo da Morte", por conta das bizarras e cruéis experiências com os prisioneiros de Auschwitz. Dessa vez, Mengele, que fugiu para a América do Sul – como de fato aconteceu, apesar de Levin e o mundo ignorarem isso na época em que o livro foi escrito – tentava reproduzir clones do Führer. Para se tornarem psicologicamente idênticos ao seu originador, os clones tinham de ter uma vida familiar igual ao do ditador. O mundo testemunharia, então, não apenas um Hitler, mas vários.

A figura mítica de Hitler até mesmo deu origem a uma nova seita mística, o misticismo nazista. O diplomata chileno Miguel Serrano desenvolveu ideias imensamente criativas... para um filme de ficção científica. Infelizmente, porém, Serrano adota um tom sério em seus muitos livros. Neles, o chileno mistura elementos que vão da mitologia tibetana à ufologia. Conforme vimos, Serrano propõe que Hitler teria sobrevivido à guerra e se refugiado numa cidade subterrânea na Antártica, sugestivamente chamada de Nova Berlim. Lá, Hitler manteria contato com os deuses hiperbóreos – um povo obscuro mencionado na Miologia Grega e identificado por alguns como os celtas. Não bastasse isso, Serrano afirma que Hitler reaparecerá algum dia comandando uma frota de discos voadores e conduzirá as forças da luz, isto é, os hiperbóreos, contra as forças da escuridão, comandadas pelos judeus. A vitória de Hitler determinará a fundação do Quarto Reich e um período de prosperidade para todos os arianos.

Rumores, lendas e boatos à parte, uma aura de mistério parece sempre circundar Hitler. E o mistério atrai a curiosidade dos homens e das mulheres como um ímã. Conforme colocou certa vez o semanário alemão Die Zeit, "o enigma de Hitler está além da compreensão humana". E quando não se consegue explicar alguma coisa, inventamos uma explicação. Por conta disso, Hitler nunca deixará de ser um mito.

Hitler, em 1938.

Tenha acesso gratuito a um conteúdo complementar por meio deste QR Code:

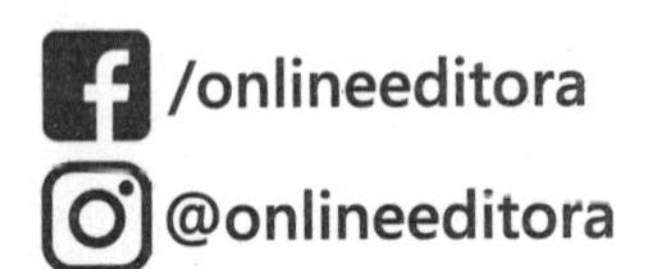